Fleurs et Plantes des Antilles
Les Editions du Pacifique,
10, avenue Bruat Papeete, Tahiti.

Composé en France par Publications Elysées.
Imprimé au Japon par Shumposha Photo Printing.

I.S.B.N. : 2-85700-164-9

Fleurs et plantes des Antilles

jacques fournet

sommaire

Les Antilles

Rêve, réalité... Tropiques, Martinique, Guadeloupe, Barbade, Grenade, Antigue, des noms qui chantent en nous au fond d'on ne sait quels souvenirs inventés, hantés de fleurs carnivores aux odeurs capiteuses, de pirates, d'alizés, de goélettes, de boucaniers, d'épices rares. Autre image, celle de belles doudous indolentes ondulant sous les cocotiers, sourire touristique aux lèvres ; en bref, tout l'attirail dont usent si bien les marchands de savon et les vendeurs de loisirs. A qui connaît les Antilles, cette image de marque paraît dérisoire. Le visiteur, celui du moins qui refuse le confort climatisé du système touristique, s'en aperçoit vite et risque d'être très déçu, même si l'arrivée en avion, qui lui avait montré les étonnantes nuances de vert de la mer, et la luxuriance des forêts sur les montagnes, sous le bleu opalescent du ciel, l'avait enthousiasmé.

Tristes tropiques ?

Alors, tristes tropiques ? Certes pas : ce n'est là que le négatif du même cliché. Essayer de découvrir la réalité, on hésite à dire la « simple réalité », car elle est complexe, est plus enrichissant, en vérité, que de tenter d'y surimprimer un banal film en Technicolor, qu'il soit idyllique ou néoréaliste.

Il y a les hommes et les femmes de ces pays, leur gaîté, leur urbanité même dans les campagnes reculées, leur malice aussi ; il y a leur faconde africaine ; il y a les discussions pour le plaisir ; il y a les chansons qu'on

Cliche B. Hermann

invente sur chaque événement ; il y a les visages graves et fermés des filles devant l'étranger, explosant de rire à la première plaisanterie ; il y a le retour des pêcheurs à l'heure indécise où la mer est grise et lisse comme un lac en hiver, les poissons multicolores au fond des canots ; il y a les cris du marché, où des fruits étranges aux noms musicaux voisinent avec les poudres magiques, les recueils de prières pour chaque occasion et les moulins à légumes en aluminium ; il y a les danses populaires, les vraies, fortes et sensuelles comme le rhum, loin des mièvreries doudouistes, et que la jeunesse actuelle réapprend, sans les avoir jamais vraiment désapprises ; il y a, dans les îles francophones, les intonations expressives du parler créole, si plein de

Cliche B. Hermann

véritables trouvailles linguistiques. Il y a aussi les bidonvilles, le sous-emploi, l'émigration, le sous-développement ; peu de misère, grâce au climat, beaucoup de pauvreté ; ce n'est pas le lieu d'en parler ; et puis le tourisme, nous dit-on, à tous maux remédiera. Il y a les jardins, toujours très fleuris, même ceux des plus pauvres cases ; il y a les montagnes mauves dans l'or du soir, et la mer argentée des cannes en fleur... la nature, étonnamment variée, presque toujours insolemment belle, depuis l'aridité subdésertique des steppes à cactus jusqu'à l'exubérance forestière des zones pluvieuses, si forte, si débordante, que c'est à coup sûr le premier et plus grand choc que l'on reçoive en arrivant là... Pénombre moite, feuilles géantes, vrilles

vivantes, lianes entrelacées, vrac enchevêtré de racines fabuleuses, « savants fûts d'orgueil d'un gisement de naufrages ».
Certains ne supportent pas cet étouffement, cette sourde menace de moisissure insidieuse. Ce n'est peut-être pas la forme de dépaysement qu'ils cherchaient ; et puis, si peu de fleurs éclatantes aux odeurs enivrantes !
Il y en a cependant, mais chacune en son lieu et chacune en son temps ; tant pis pour qui est trop pressé.

Une flore d'une richesse étonnante

A celui qui s'intéresse aux plantes, et non seulement aux raretés magnifiques et éphémères, et non seulement pour les regarder, mais suffisamment pour les vouloir connaître plus intimement, les appeler par leur nom, les Petites Antilles offrent un champ d'étude passionnant. Beaucoup de nos îles, celles surtout où les conditions de sol, de relief et de climat sont les plus variées, ont une flore d'une richesse étonnante. Ainsi, si l'on rapporte par exemple le nombre d'espèces de plantes à fleurs (phanérogames) indigènes de la Guadeloupe à la superficie de cette île, on trouve environ une espèce par kilomètre carré ; pour les pays d'Europe tempérée, le même calcul conduit à environ une espèce pour deux cents kilomètres carrés. De plus, bien des familles de plantes présentes ici n'existent pas en pays tempérés.
L'origine de la flore des Petites Antilles est extrêmement complexe ; quels que soient les processus géologiques, encore controversés, qui ont amené leur formation, il est certain que la plupart de ces îles n'ont pu héberger « définitivement » une vie terrestre qu'à une époque assez tardive, que l'on situe généralement au Pléistocène ; les formes de vie que l'on y trouve actuellement ont toutes une origine beaucoup plus ancienne ; elles ont donc, de toute évidence, pris naissance ailleurs.

Cliché B. Hermann

L'étude de ce qu'on appelle les affinités biogéographiques permet d'indiquer que la plupart des plantes des Petites Antilles sont originaires des Grandes Antilles, et en particulier de Porto-Rico ; la flore des Grandes Antilles est elle-même originaire en grande partie d'Amérique Centrale, et d'Amérique du Sud, *via* l'Amérique Centrale. Les transports ont eu lieu peu à peu au cours des âges, sous l'influence des facteurs naturels : vents, courants marins, oiseaux migrateurs, etc. Mais au cours de ces transports d'île en île, beaucoup d'espèces ont évolué, et ont progressivement

donné naissance à des variétés ou à des « espèces-filles ». On trouve ainsi souvent, d'une île à l'autre, des espèces très voisines (ou « affines »), et endémiques (c'est-à-dire n'existant nulle part ailleurs que dans telle île ou dans telle autre) ; il y a là un immense champ de recherches pour qui veut cerner les phénomènes de l'Evolution. Cela ne simplifie certes pas la tâche du botaniste amateur. Il se consolera en apprenant que même les spécialistes se posent encore bien des questions, que tout n'est pas encore parfaitement connu, aussi irritant cela soit-il, et que lui-même, un jour, au

cours d'une longue marche en montagne, découvrira peut-être une espèce ou une variété nouvelle pour la science, ou plus simplement nouvelle pour l'île où il se trouve.

Mille espèces introduites

L'un des facteurs principaux de transport des plantes est l'Homme. Depuis que les Arawaks, venus des Guyanes, ont conquis les Petites Antilles, que les Caraïbes ont massacré les Arawaks, que les Européens ont massacré les Caraïbes et ont importé des Africains, puis des Hindous, il était inévitable que l'Homme, volontairement ou non, ait considérablement enrichi la flore locale. Ainsi, si l'on considère l'ensemble Guadeloupe-Martinique, on peut compter que pour environ 1 700 espèces de plantes véritablement indigènes, il y a plus de 1 000 espèces introduites par l'Homme, dont environ 350 se sont naturalisées. Parmi ces espèces introduites, un bon nombre forment le fond du paysage « humanisé » : le Cocotier, l'Arbre à Pain, le Manguier, le Bananier, la Canne à Sucre, le Sandragon, l'Hibiscus, le Filao, sont des espèces introduites. La plupart d'entre elles sont de nos jours communes dans tous les pays tropicaux.

L'ambition du présent ouvrage se limite à présenter certaines des plantes les plus caractéristiques, selon leur habitat naturel, sans bien sûr prétendre à l'exhaustivité, impossible en un aussi faible volume. En outre, on se limitera le plus souvent aux espèces relativement spectaculaires, et, par là même, très facilement reconnaissables sans un examen minutieux et fastidieux. Il serait mal venu, sans doute, d'évoquer même brièvement la flore de ces îles, qui sont de véritables serres naturelles, en négligeant les plantes ornementales, même si la plupart d'entre elles sont introduites.

Sous les tropiques, le cocotier est un élément fondamental du paysage humanisé.

Cliché R. Hermann

Le littoral

Les formations végétales qui bordent les côtes sont variées. Les côtes basses portent soit une végétation de plage, soit une formation particulière aux régions intertropicales, la mangrove ; les côtes accidentées portent des formations différentes, que nous appellerons végétation des rochers et falaises. Ces milieux très variés, et facilement accessibles, justifient sans doute un développement relativement important.

A Deshaies, Guadeloupe, la beauté de la plage de Grand-Anse fait correspondre le rêve à la réalité.

Les plages

Qu'elles soient de sable blanc (calcaire) ou plus foncé (sable d'origine volcanique), la végétation qui s'y développe est pratiquement la même. Les espèces, peu nombreuses, sont adaptées à la sécheresse et à la forte salinité du sol ; cette adaptation se remarque surtout chez les plantes herbacées, dont les feuilles sont très souvent coriaces ou succulentes, et qui développent généralement de longs rhizomes ou stolons, nourris par un système racinaire volumineux et profond. Sur le front de mer, à la limite des plus hautes eaux, on trouve presque toujours la Patate-bord-de-mer

Cliche B. Hermann

(Ipomoea pes-capreae), très reconnaissable à ses fleurs violacées de gros liseron, à ses feuilles très épaisses, et au latex abondant qu'elle émet à la moindre cassure. On observe très souvent aussi une Papilionacée, le Pois-sabre-bord-de-mer *(Canavalia maritima),* et une Graminée aux feuilles raides et souvent roulées, le *Sporobolus virginicus.* Çà et là, quelques espèces succulentes se développent en thalles denses : le Pourpier-bord-de-mer *(Sesuvium portulacastrum),* et l'Amarante-bord-de-mer *(Philoxerus vermicularis).*
Plus en retrait, on trouve parfois, surtout sur les plages peu fréquentées, une zone d'arbrisseaux, comprenant surtout le Romarin noir *(Suriana maritima),* le Romarin blanc *(Mallotonia gnaphalodes)* et la Prune ou Cerise-bord-de-mer *(Scaevola Plumieri),* aux feuilles épaisses, coriacées ou succulentes, et très rapprochées les unes des autres, ce qui diminue l'évaporation.
Sur les plages fréquentées, on passe en général directement à la zone suivante, composée d'arbustes ou d'arbres. Les deux principales espèces indigènes sont ici le Raisinier-bord-de-mer *(Coccoloba uvifera)* et le célèbre Mancenilier *(Hippomane mancinella) ;* le Calpata ou Catalpa *(Thespesia populnea),* très commun, et souvent confondu avec le Mancenilier, est une espèce introduite et parfaitement naturalisée. Sur beaucoup de plages ont été plantés le Cocotier *(Cocos nucifera)* et l'Amandier-pays *(Terminalia Catappa),* qui se sont pratiquement naturalisés.
Lorsque des bois littoraux bordent la plage vers l'intérieur, ils constituent une zone de transition entre la végétation littorale proprement dite et la zone de la forêt (il s'agit le plus souvent de la forêt sèche). La composition de ces bois varie selon que l'on se trouve

---

Charnues et succulentes, comme ce Sesuvium portulacastrum, *les plantes des plages sont adaptées pour résister au sel et au soleil.*

sur un sol calcaire ou sur un sol volcanique. Les espèces les plus communes en zone calcaire sont le Bois noir *(Capparis cynophallophora),* le Poirier *(Tabebuia pallida),* le Millefeuille ou Bois-piano *(Zanthoxylum spinifex),* le Bois à enivrer *(Piscidia carthagenensis),* le Mapou gris *(Pisonia subcordata),* le Bois-Cannelle *(Canella Winterana),* dont les feuilles, froissées, dégagent une forte odeur de cassis, le Bois-bracelet *(Jacquinia arborea),* et le Gommier rouge *(Bursera Simaruba),* dont le tronc rouge s'exfolie à la façon du Bouleau des pays tempérés. Cette dernière espèce se retrouve en zone volcanique, mélangée au

Galba *(Calophyllum calaba)*, à la Savonnette *(Lonchocarpus Benthamianus)*, à l'Acajou-senti *(Cedrela mexicana)*, à divers « Lépineux » *(Zanthoxylum* spp.), au Merisier *(Myrcia citrifolia)* et au Bois-Caral *(Cornutia pyramidata)* ; parfois le Lilas-pays *(Melia azedarach)* s'est naturalisé dans ces bosquets. En sous-bois, on observe souvent le beau Lis blanc bord-de-mer *(Pancratium arenicolum)*, l'Herbe-mal-de-tête *(Kalanchoë pinnata)* et la Langue à Chat ou Oreille à Bourri-

---

Le Pancratium arenicolum *Alain, ou Lys blanc égaie les sous-bois des halliers secs littoraux.*

quet *(Sansevieria metallica)* ; les deux dernières espèces sont naturalisées.
Dans les zones non boisées, l'arrière-plage consiste en savanes littorales où l'on observe très souvent la Patate-chandelier *(Ruellia tuberosa),* les Verveines courantes *(Lippia* ou *Phylla* spp.), le Bouton blanc *(Melanthera nivea),* l'Amourette *(Clerodendron aculeatum),* et le Soumaké ou Caca-Béké *(Cassia bicapsularis)* ; la Pervenche de Madagascar ou Caca-poule s'est naturalisée dans certaines zones. Il arrive parfois que l'arrière-plage soit constituée de terrains marécageux ou inondés, où poussent des arbustes comme le Croc à Chien ou Mamin *(Drepanocarpus lunatus)* et le Cachiman-cochon *(Anona glabra),* et diverses plantes herbacées dont nous parlerons à propos de la Mangrove palustre et des mares. Parfois encore, on rencontre une brousse épineuse, où l'on trouve les espèces caractéristiques des formes de dégradation de la forêt sèche *(Acacia* spp., *Croton* spp., Bois de Campêche, etc.), mais où dominent souvent les Caniques grises *(Caesalpinia Bonduc)* et jaunes *(Caesalpinia ciliata),* aux belles graines utilisées pour la confection de colliers.

La mangrove

Ce type de végétation très particulier, n'existe que dans les pays tropicaux, et se développe sur tous les sols littoraux bas, boueux, souvent envahis par les hautes eaux.
Aux Petites Antilles, la mangrove ne comporte guère que quatre espèces d'arbustes ou d'arbres, bien reconnaissables, tous quatre appelés Mangles, ou Palétuviers :
— Le *Rhizophora Mangle* pousse tout à fait en bordure de la mer, et même souvent dans la mer. Ses très

---

Le Croton fragrans *se trouve souvent associé au* Lantana involucrata *dans les zones sèches dégradées.*

nombreuses racines-échasses ramifiées, qui descendent parfois des plus hautes branches, lui donnent un aspect très particulier.
Plus en arrière, on observe, souvent en mélange, et en proportions différentes, selon les lieux :
— Le *Laguncularia racemosa.*
— L'*Avicennia germinans* (et parfois l'*Avicennia Schauerana*) ; chez ces espèces, les racines émettent de nombreux petits « périscopes », appelés pneumatophores, dont le rôle est assez mal connu.
— Le *Conocarpus erecta,* qui pousse en général sur sol solide, et que l'on reconnaît à ses petits fruits ressemblant à ceux du Cyprès ou du Thuya.
Hormis ces quelques arbustes, la mangrove est très pauvre en espèces végétales. Elle joue un rôle important, malgré son aspect malsain et monotone, de protection de la côte contre l'érosion marine, contribue à former peu à peu un sol solide, et surtout, sert de gîte de reproduction pour de nombreuses espèces marines (poissons, crustacés, etc.). En pays tropical, on peut dire que supprimer la mangrove revient à supprimer toute possibilité de pêche côtière ; les constructeurs d'hôtels et les pouvoirs publics pourraient peut-être trouver ici matière à réflexion ?

Dans les zones basses et marécageuses qui bordent souvent la mangrove vers l'intérieur, se développe un faciès de marécage arboré très particulier aux pays Caraïbes, et qui n'existe pratiquement nulle part ailleurs. On l'appelle souvent « mangrove palustre » ou « mangrove lacustre », mais ces termes sont inadéquats.
L'espèce caractéristique de cette formation est un grand arbre de la famille des Papilionacées, le Mangle-médaille *(Pterocarpus officinalis)* ; il peut atteindre une hauteur de 15 à 20 mètres, mais dépasse rarement

---

Les étonnantes racines-échasses du Rhizophora, *qui plongent dans l'eau salée, constituent l'élément principal du paysage de la mangrove.*

12 mètres. Les peuplements en sont souvent très denses, et l'on se croirait alors en pleine forêt ; les bases des troncs développent de très gros contreforts tourmentés, dont les extrémités serpentent dans la vase. Le fruit est une gousse irrégulièrement circulaire, dont la forme évoque grossièrement celle d'une médaille.

Contrairement à la mangrove marine, ce milieu est très riche en espèces végétales, arbustes, lianes et épiphytes. Très souvent, les Mangles-médailles semblent émaillés de grosses fleurs blanc-mauve ou rosées ressemblant à celles du Poirier-pays : ce sont celles d'une puissante liane de la famille des Bignoniacées, la Liane à Crabes *(Cydista aequinoctialis) ;* une autre liane, à latex blanc, le *Rhabdadenia biflora,* de la famille des Apocynacées, donne de très belles fleurs d'un blanc pur. Un petit arbuste aux fleurs jaunes pousse souvent parmi les gros troncs : c'est une Malvacée, le Sunabao ou Gombo-mangle *(Pavonia scabra).* En sa compagnie, on observe le Malanga-rivière *(Montrichardia arborescens),* qui semble monté sur une échasse. Parfois, un cactus lianescent, le Cierge-lézard *(Hylocereus trigonus),* s'accroche aux branches du Mangle-médaille ; ses tiges épineuses sont carrées ou triangulaires ; on le trouve aussi en forêt sèche, ou sur les vieux murs.

Le marécage arboré se termine souvent vers l'intérieur par une bordure de Grande Fougère dorée *(Acrostichum aureum) ;* mais il peut se prolonger par un marécage d'aspect plus traditionnel, où l'on trouve les espèces typiques des mares et des étangs.

Parmi les plus caractéristiques, citons la Paille-mare *(Rhynchospora corymbosa),* le Follet *(Nymphaea ampla),* la Jacinthe d'eau *(Eichhornia crassipes),* et diverses Graminées, dont *Hymenachne amplexicaulis* et *Paspalum distichum.*

Très riche en espèces, la mangrove palustre est une forêt de type amphibie.

Les rochers et falaises calcaires

Nous retrouvons ici une végétation adaptée à la sécheresse : feuilles grisâtres, épaisses, petites, souvent enroulées, parfois très serrées. Les arbrisseaux sont très souvent tordus ou couchés sous l'influence du vent. Au bord de l'eau, soumis aux embruns, on trouve, outre quelques espèces des plages, le Romarin-bord-de-mer *(Strumpfia maritima)*, très petit arbrisseau aux feuilles rigides, étroites et rapprochées, à petites fleurs roses, et à fruits blancs et spongieux : c'est une Rubiacée, de même que la Liane sèche *(Ernodea littoralis)*, aux petites feuilles vernissées et rigides, à pointe piquante. Le Tiraille *(Borrichia arborescens)*, charnu et odorant, aux feuilles grises, et aux fleurs jaunes de petit Tournesol, est également fréquent.

En arrière, et généralement sur les falaises, on observe

le Frangipanier blanc *(Plumieria alba),* aux belles fleurs odorantes. Là pousse également le Bois-lait-bord-de-mer *(Euphorbia articulata),* de taille et de port très variables. Le Fleurit-Noël-bord-de-mer *(Eupatorium integrifolium)* égaie ce paysage austère et gris par ses jolis groupes de fleurs bleues et son feuillage d'un vert vif et frais. Une autre touche colorée est fournie par les fleurs jaunes du *Cassia obcordata.*

Çà et là, des massifs de Bois-Flambeau *(Erithalis fruticosa* et *E. odorifera)* mettent des taches vertes et donnent un peu d'ombre.

Diverses plantes rabougries parsèment le sol surchauffé : la Teigne-bord-de-mer *(Pectis humifusa)* aux petites fleurs jaunes, divers *Borreria,* le *Lithophila muscoides,* minuscule Amaranthacée, et plusieurs espèces de *Portulaca* du groupe *« pilosa ».*

Cliche B. Hermann

La forêt sèche

Située dans les zones où la pluviométrie est inférieure à 1 800 mm par an, elle couvrait autrefois de vastes surfaces ; le développement des cultures (surtout celle de la Canne à sucre), l'exploitation du bois pour la fabrication du charbon de bois, et l'urbanisation n'en ont laissé que de rares lambeaux sur les sols les plus pauvres ou les plus rocheux.
Les zones abandonnées par la culture se repeuplent d'arbustes et d'arbrisseaux différents de ceux qui constituaient la végétation primitive, et forment la « forêt dégradée » ; parfois même, il ne s'agit que de « savanes », où poussent quelques maigres arbrisseaux.
La végétation primitive naturelle (« climacique ») de la forêt sèche comprend un assez petit nombre d'essences, presque toutes à feuilles caduques. Les principales, sur sol calcaire, sont le Gommier rouge *(Bursera Simaruba),* le Poirier *(Tabebuia pallida),* le Griffe à Chat *(Pithecellobium unguis-cati),* le Mapou gris *(Pisonia subcordata),* le *Pisonia fragrans,* le « Quinquina » *(Exostema caribaeum),* l'Olivier *(Byrsonima lucida),* le Bois marbré *(Gymnanthes lucida),* l'Acomat *(Dipholis salicifolia),* le Petit bouis *(Bumelia obovata),* le Mille-feuille ou Bois-piano *(Zanthoxylum spinifex).* Autrefois, le Gaïac *(Guajacum officinale)* était largement répandu ; de nos jours, il a pratiquement disparu de certaines îles

---

La culture de la canne à sucre s'est développée surtout aux dépens de la forêt xérophile.

Cliché R. Hermann

du fait d'une exploitation abusive.
Le sous-bois est en général assez développé, et comprend des espèces extrêmement variées : Pipéracées *(Peperomia* spp.*)*, Euphorbiacées *(Phyllanthus epiphyllanthus, Pedilanthus* spp.*)*, Acanthacées *(Beloperone Eustachiana, Justicia sessilis)*, ainsi que des lianes diverses, mais en général assez grêles : le Griffe à Chat *(Macfadyena unguis-cati)*, dont la foliole terminale est remplacée par trois griffes, le Liseron bleu *(Jacquemontia pentantha)*, les Gouttes de sang *(Quamoclit pinnata* et *Q. hederifolia)*, des Papilionacées (des genres *Galactia, Mucuna, Clitoria,* etc.*)*, des Malpighiacées *(Heteropteryx purpurea, Stigmaphyllon cordifolium)*, qui introduisent ça et là un peu de couleur.
Sur sol volcanique, la composition de la flore est un peu différente, et l'on trouve surtout la Savonnette *(Lonchocarpus Benthamianus)*, divers Lépineux *(Zanthoxylum* ssp.), des Lauriers *(Nectandra antillana)*, le Galba *(Calophyllum calaba)*, et le Courbaril *(Hymenaea Courbaril)*, que son exploitation pour le très beau bois qu'il fournit à presque fait disparaître.
Parmi les zones dégradées, les fourrés à Campèche *(Haematoxylon Campechianum)*, aux fleurs jaunes délicieusement parfumées, gardent souvent un aspect forestier ; on y trouve diverses Célastracées : le « Ti bonbon » *(Crossopetalum Rhacoma)*, et les Petits merisiers *(Gyminda latifolia* et *Schaefferia frutescens)*. Par contre, les brousses à épineux, dans les zones plus arides ou plus dégradées, ont un caractère bien différent, plus « africain » ; on s'attend presque à apercevoir un troupeau de Gazelles, ou quelque Girafe égarée... Les espèces caractéristiques de ces brousses sont essentiellement, au moins sur sol calcaire, les « ti baumes » *(Croton fragrans,* Euphorbiacée, et *Lantana involucrata,* Verbénacée), aux feuilles odorantes, et

---

Le Quamoclit hederifolia *met des taches de couleur vive dans les halliers secs.*

plusieurs espèces d'*Acacia (A. macracantha, tortuosa, Farnesiana,* etc.*)*, et très souvent le Ti coco *(Randia aculeata),* ainsi que le Picanier *(Solanum racemosum),* épineux ou inerme, qui pousse également sur le littoral. Le « Saint-Domingue » *(Dichrostachys cinerea),* originaire de l'Ancien Monde, s'est implanté dans certaines îles, et s'y développe parfois très rapidement. Dans les zones les plus arides, on trouve des brousses à cactées, dont certaines sont sans doute naturelles, et où les espèces les plus courantes sont les Cierges *(Cephalocereus nobilis),* les petites « Raquette volantes » *(Opuntia triacantha* et *O. antillana),* les Raquettes *(Opuntia Tuna* et *O. Dillenii),* le grand *Opuntia rubescens* arborescent, et des cactus globuleux, comme le « Tête à l'Anglais » *(Melocactus intortus)* et le *Mammillaria nivosa.*

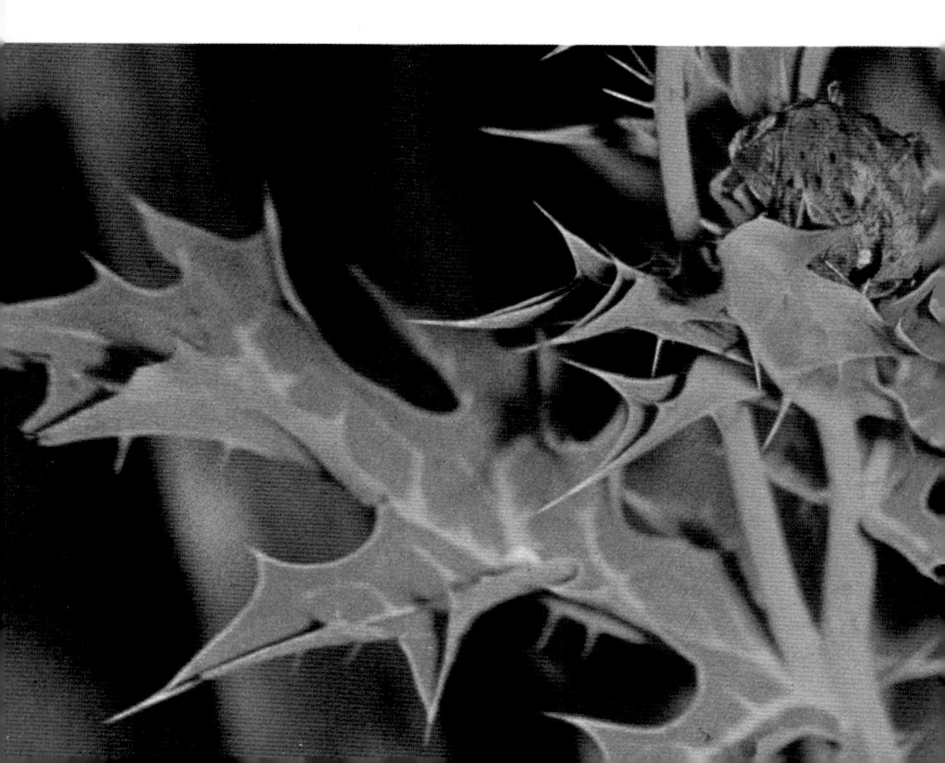

Sur sol volcanique, la dégradation conduit à des taillis à *Acacia* et *Mimosa,* où dominent des espèces à fleurs blanches : *Mimosa ceratonia, Acacia muricata, A. tamarindifolia, A. riparia ;* le Bois-pissenlit *(Tecoma stans)* montre ses belles fleurs jaunes, et le Pompon rouge *(Calliandra purpurea)* déploie parmi les roches noires ses admirables touffes d'étamines rouges, au voisinage des petites fleurs blanches de l'*Heliotropium ternatum.* Dans les endroits les plus arides se développent des savanes à Gros baume *(Hyptis suaveolens),* dont l'odeur est caractéristique ; c'est aussi le domaine du Bois-champignon *(Melochia tomentosa)* et du Bois-pétard *(Calotropis procera),* qui nous vient du Sahel. Les zones à cactées sont en général limitées aux falaises.

*L'*Argemone mexicana, *une des rares papaveracées antillaises, est un « chardon » des zones subarides.*

La forêt dense

Nous entrons là dans un domaine d'une richesse extraordinaire ; les essences d'arbres de la seule forêt dense sont au nombre d'au moins 400 dans l'ensemble des Petites Antilles, auxquelles s'ajoutent les arbustes, arbrisseaux, fougères, lianes et épiphytes. Une présentation exhaustive est bien entendu hors de question ici, et nous nous bornerons aux caractères généraux, en citant au passage les espèces les plus caractéristiques.

Le domaine de la forêt dense correspond grossièrement aux zones où la pluviométrie est supérieure à 1 800 mm par an, et dont l'altitude est inférieure à 1 000 m. On y distingue classiquement deux faciès principaux :

— Tout d'abord la **forêt mésophile**, ou **mésophytique**, dans les zones où la pluviométrie est comprise entre 1 800 et 3 000 mm d'eau par an ; ses caractères essentiels sont les suivants :

— Abondance d'essences caducifoliées, à floraison saisonnière.

— Relative rareté des lianes et des épiphytes.

— Relative rareté des grands arbres à contreforts.

— Relative importance du sous-bois (arbustes et arbrisseaux).

Ce type de formation a considérablement régressé en raison des activités humaines (agriculture, urbanisation, exploitation du bois...) ; il n'en subsiste plus guère, le plus souvent, outre une étroite couronne autour de la

---

La présence du Côtelette blanc, Miconia mirabilis, *indique la dégradation de la forêt dense.*

forêt de la pluie, que quelques petits massifs « relicts » et des forêts-galeries très dégradées, le long des rivières.

Les espèces les plus caractéristiques de la forêt mésophile sont le Mauricif ou Bois-tan *(Byrsonima coriacea* var. *spicata),* le Bois-gligli *(Buchenavia capitata),* le Petit Coco *(Rhyticocos amara),* le Bois d'Inde *(Pimenta racemosa),* le Pois doux poilu *(Inga ingoides)* et le Pois doux rivière *(Inga laurina),* le Bois-négresse *(Nectandra coriacea),* le Bois-diable *(Margaritaria nobilis)* aux magnifiques graines d'un bleu métallique, le Pripri ou Balsa *(Ochroma pyramidale),* ainsi que de nombreuses Myrta-

cées *(Eugenia trinervia, Eugenia Lambertiana, Myrcia splendens,* dits Merisiers ou Goyaviers-bâtards) et Mélastomacées *(Miconia impetiolaris, Miconia laevigata,* etc.*).*

Les formes de dégradation de la forêt mésophile se développent le plus souvent sur les zones abandonnées par les cultures ; ces surfaces sont progressivement envahies par le Goyavier *(Psidium Guajava),* qui produit un des rares fruits comestibles sauvages, l'Icaque

Les fruits du Margaritaria nobilis *forment un brillant contraste dans la végétation des bois mésophiles dégradés.*

(Chrysobalanus Icaco), et l'Amourette *(Mimosa pigra).* Dans un second temps, le *Miconia mirabilis* (Côtelette blanc) et le *Cecropia peltata* (Bois-trompette ou Bois-Canon) s'installent et annoncent la réapparition d'une forme très dégradée de forêt. Dans les endroits marécageux et dans le lit des rivières, on rencontre très souvent l'admirable Dartrier *(Cassia alata).*
Presque toutes très dégradées, les forêts-galeries présentent un grand intérêt, par le mélange curieux d'arbres de la forêt humide, descendus des hauteurs à la faveur du microclimat des rives, d'essences « normales » de la zone mésophile, comme le « Médaille » *(Dalbergia monetaria),* d'espèces électives, et de deux

espèces exotiques, parfaitement naturalisées, le Bambou et la Pomme-Rose *(Syzygium Jambos)*, dont les fruits ont une délicieuse odeur de rose.

— Le deuxième faciès de forêt dense est appelé **forêt hygrophile**, ou **hygrophytique**, ou encore forêt de la pluie ; il est de type subéquatorial, et correspond à une pluviométrie supérieure à 3 000 mm par an. Ses caractères principaux sont les suivants :

— Etagement de la végétation en strates superposées bien individualisées.

Brumes, lointains voilés, humidité permanente, telles sont les caractéristiques de la forêt de la pluie.

— Absence presque totale d'essences caducifoliées. Chevauchement des époques de floraison ; relative fréquence des espèces à floraison et fructification continues ou presque continues.
— Très grande hétérogénéité des espèces végétales présentes en un même endroit, pour la plus grande joie du botaniste.
— Présence d'arbres de très grande taille (25 m et plus), présentant souvent des contreforts, ou des racines-échasses.
— Très grande abondance des lianes et épiphytes, dont beaucoup sont des espèces, ou des variétés endémiques (Piperacées, Orchidées, Broméliacées, Fougères...).
— Relative faiblesse du tapis herbacé et des arbrisseaux, du fait de l'obscurité du sous-bois.
— Adaptation des espèces à un milieu constamment humide et chaud (très faibles variations annuelles et journalières).
Parmi les très grands arbres, citons les Châtaigniers et l'Acomat-boucan *(Sloanea* spp.), le Gommier à canots *(Dacryodes excelsa),* le Mapou-baril *(Sterculia caribaea),* le Cachiman-montagne *(Guatteria caribaea),* aux fleurs parfumées, le Magnolia *(Talauma dodecapetala),* le Bois rouge Carapate *(Amanoa caribaea),* les Palétuviers jaunes aux énormes racines-échasses *(Symphonia globulifera* et *Tovomita Plumieri).*
Les arbres moins élevés, dits dominés, comprennent surtout des Lauracées *(Ocotea* spp., *Phoebe* spp.), des Mytacées *(Calyptranthes Forsteri, Myrcia leptoclada, M. deflexa, Eugenia domingensis, E. octopleura, E. brachystachys, E. pseudopsidium, E. Sintenisii, E. albicans, Myrciaria floribunda,* etc.), le Côtelette noir *(Tapura antillana),* le Côtelette rouge *(Miconia trichotoma),* le Bois cassant *(Rudgea citrifolia),* le Bois-

---

Le Philodendron lingulatum *s'enroule à la plupart des troncs d'arbres de la forêt dense.*

diable *(Licania ternatensis)*, l'Acajou blanc ou Bois blanc *(Simaruba amara)*, le Mapou-lélé *(Cordia elliptica)*, le Palmiste-montagne *(Prestoea montana* ou *Euterpe globosa)* ; en altitude, le *Podocarpus coriaceus*, une des très rares Gymnospermes des Antilles, est particulièrement abondant.

Les arbustes et arbrisseaux appartiennent surtout aux Rubiacées *(Psychotria* spp., *Cephaëlis* spp., *Gonzalagunia spicata)*, aux Mélastomacées *(Miconia* spp., *Clidemia* spp., *Conostegia* spp.), aux Pipéracées *(Piper* spp.), aux Composées *(Eupatorium mononeurum)*, et aux Myrtacées. Signalons parmi eux une curieuse Euphorbiacée, la Fougère bâtarde *(Phyllanthus mimosoides)*. Les petits arbrisseaux et les herbes sont peu nombreux ; citons cependant la Framboise *(Rubus*

rosaefolius) et divers *Begonia.*

Les fougères arborescentes *(Cyathea* spp., *Hemitelia* spp., *Alsophila* spp.), ainsi que l'abondance extrême des lianes et épiphytes, contribuent à donner à cette forêt son aspect particulier de « jungle », de « forêt vierge ». Ces lianes et épiphytes appartiennent à de nombreuses familles, dont les principales sont les Aracées *(Philodendron, Anthurium, Monstera),* les Orchidées *(Epidendrum, Dichaea, Maxillaria,* etc.), les Pipéracées *(Peperomia),* les Broméliacées *(Guzmania, Tillandsia, Thecophyllum, Catopsis, Glomeropitcairnia, Vriesia,* etc.), et plusieurs familles de Fougères.

Le Gonzalagunia spicata *est un des arbrisseaux les plus communs de la forêt dense.*

La végétation d'altitude

Vers mille mètres d'altitude (ou plus bas dans les endroits très exposés au vent), les arbres de la forêt dense deviennent tordus et nanifiés, la richesse en espèces diminue, et certaines espèces d'altitude apparaissent.
Un peu plus haut encore, la végétation devient très basse, et les associations d'altitudes s'installent, où dominent les *Charianthus,* divers *Miconia* aux feuilles très coriaces et souvent enroulées « en cuiller », des *Eupatorium* aux feuilles gaufrées et d'un vert noirâtre (en particulier *E. trigonocarpum),* le Bois-montagne *(Weinmannia pinnata),* l'Olivier-montagne *(Cyrilla racemiflora),* les Mangles-montagnes, qui sont des *Clusia,* souvent endémiques d'une île ou d'un groupe d'îles *(Clusia Mangle, C. Plukenettii, C. minor,* etc.), et le Palmiste des hauts, *Prestoea montana* (ou *Euterpe globosa),* qui reste nain : certains spécimens adultes ne dépassent pas cinquante centimètres.
Dans les endroits découverts se développent surtout des Lobéliacées *(Lobelia flavescens, digitalifolia, cirsiifolia, infesta),* qui sont caractéristiques des formations d'altitude sous les Tropiques, des Broméliacées terrestres typiquement américaines *(Pitcairnia* spp. *Guzmania* spp.), divers *Tibouchina,* petites Mélastomacées aux très belles fleurs violettes, des Gra-

---

Les Broméliacées disputent ici la place aux mousses, aux lichens, aux sélaginelles et aux lycopodes.

Cliche B. Hermann

minées aux feuilles rigides *(Isachne* spp.) ou aux chaumes raides et flexueux *(Arthrostylidium* spp., dits « calumets »), des Violettes *(Viola stipularis),* des Cypéracées à feuilles d'Iris *(Machaerina restioides),* et de nombreuses espèces de Mousses, d'Hépatiques, de Lichens, de Lycopodes et de Sélaginelles. Parfois on observe des colonies denses d'une belle Orchidée terrestre, à fleurs blanches teintées de violet, *l'Epidendrum patens.* Ça et là se détachent de grosses touffes en boule, formées par le *Didymopanax attenuatum*

Cliche B. Hermann

(Trompette à canon), qui existe aussi, mais avec un port tout différent, en forêt dense.
Sur les sommets existe une végétation rase très particulière, où dominent souvent les Sphaignes (tourbière d'altitude) ; on y trouve çà et là une très petite plante plaquée, aux feuilles grises et aux fleurs rouges, c'est la Myrtille des hauts *(Gaultheria swartzii).*

La végétation des cônes volcaniques, à la Guadeloupe. A gauche, des fumerolles sulfureuses.

Les plantes ubiquistes et les plantes cultivées et ornementales

Certaines plantes ne sont pas strictement inféodées à un milieu particulier ; ainsi le Thé-savane *(Sauvagesia erecta)* et l'Herbe-pou-de-bois *(Centella asiatica)* se rencontrent depuis le niveau de la mer jusqu'au sommet des montagnes ; de telles plantes sont dites ubiquistes ; nous en présentons ici un certain nombre, parmi les plus communes et les plus facilement reconnaissables.

Les plantes cultivées et ornementales, nous l'avons déjà dit, sont extraordinairement nombreuses et variées ; on peut dire que tout ce qui pousse sous les Tropiques peut pousser aux Petites Antilles, et y a été introduit, ou y sera introduit un jour avec succès. Nous présentons ici quelques belles plantes, en insistant surtout sur les moins connues ; d'autres ouvrages, en effet, ont très largement fait connaître les plus communes d'entre elles, ou les plus spectaculaires, tels le Bougainvillier ou l'Arbre du Voyageur ; nous avons donc jugé inutile de les présenter à nouveau.

Les Phalaenopsis *sont parmi les Orchidées les plus cultivées.*

144 espèces

le littoral

CANAVALIA MARITIMA Thouars
(Papilionacée).
Pois-sabre-bord-de-mer. *Seaside bean.*
Floraison : surtout août-février.
D'aspect semblable, vu de loin, à *Ipomoea pes-capreae,* il s'en distingue par ses feuilles à 3 folioles et ses fleurs papilionacées. Il rampe sur le sable ou grimpe sur les arbustes. Les graines seraient vénéneuses.

SESUVIUM PORTULACASTRUM L.
(Aizoaceé)
Pourpier-bord-de-mer.
Seaside purslane. Verdolaga rosada. Yerba de vidrio.
Floraison : presque toute l'année.
Cette espèce aux belles petites fleurs mauves ou blanches en étoiles, ne doit pas être confondue avec le *Philoxerus vermicularis,* aux glomérules d'un blanc argenté.

IPOMOEA PES-CAPREAE
Sweet subsp. **brasiliensis** Ooststr.
(Convolvulacée)
Patate-bord-de-mer. *Seaside potato. Batata del mar.*
Floraison : presque toute l'année.
Cette belle espèce couvre parfois le sable de la plage sur une grande surface. Elle contient un latex blanc très abondant.

SURIANA MARITIMA L. *(Surianacée).*
Oseille-bord-de-mer. Romarin noir.
Gitaran. Temporana.
Floraison : toute l'année.
Cet arbrisseau au port caractéristique est très fréquent en bordure des plages de sable calcaire ; ses petites fleurs jaunes produisent chacune cinq petits fruits secs séparés.

COCCOLOBA UVIFERA Jacq.
(Polygonacée).
Raisinier-bord-de-mer. *Sea grape.*
Uva de mar.
Floraison : avril-juin. Fr. septembre-novembre.
Cet arbre tortueux, au bois dur, et dont l'écorce se desquame facilement, ne fait presque jamais défaut en bordure des plages. Les enfants aiment ses fruits assez insipides.

THESPESIA POPULNEA Soland.
(Malvacée).
Calpata, Catalpa. *Tulip-tree.*
Emajaguilla, Santa Maria,
Palo de jaqueca.
Floraison : juillet-octobre.
Beaucoup de gens confondent le Mancenillier avec ce petit arbre inoffensif introduit, aux feuilles de Lilas, et aux grandes fleurs jaunes, qui virent au rouge en se fanant. Les fruits secs tombés sur le sable sont souvent envahis de petites punaises Pyrrhochorides rouges, du genre *Dysdercus.*

CLERODENDRON ACULEATUM Schlecht. *(Verbénacée).*
Synonyme **Volkameria aculeata** L.
Amourette, Thé-bord-de-mer. *Haggar-bush, Prickly myrtle, Privet, Crab-prickle, Coffee-fence. Escabron blanco.*
Floraison : surtout septembre-avril.
Cet arbrisseau, dont les bases des pétioles deviennent des épines une fois les feuilles tombées, est fréquent dans toutes les savanes littorales. Les fruits, charnus à l'état jeune, sont secs et durs à maturité.

CASSIA BICAPSULARIS L.
(Caesalpiniacée).
Synonyme **Adipera bicapsularis** Britton & Rose.
Sou marqué, Soumaké, Caca-Béké, Caca-soldat, Casse-hallier, Canéfice bâtard. *Hoja de sen, Sen del pais.*
Floraison : septembre-février.
Arbrisseau aux feuilles souvent épaisses, d'un vert vif, et aux abondantes grappes de fleurs jaunes. La gousse est cylindrique et indéhiscente, brun-clair. Le *Cassia laevigata* Willd., voisin, est cultivé ça et là.

KALANCHOË PINNATA Pers.
(Crassulacée).
Synonyme **Bryophyllum pinnatum** Oken.
Herbe-mal-de-tête, Chance. Farine chaude. *Leaf of life.*
Commune dans les sous-bois d'arrière-plage, ainsi que dans les cimetières, et en zones sèches en général, cette herbe très charnue est aussi cultivée dans les jardins. Ses feuilles, même placées entre les pages d'un livre, donnent naissance à de petites plantules au fond de leurs crénelures ; on prétend que, placées sur le front, elles effacent les maux de tête.

RHIZOPHORA MANGLE L.
(Rhizophoracée).
Palétuvier rouge, Mangle rouge, Mangle noir, Mangle-chandelle.
Floraison : surtout juin-septembre.
Ce palétuvier présente la particularité d'être « vivipare » : la radicule se développe alors que le fruit est encore sur l'arbre, et peut atteindre une trentaine de centimètres. Ces « torpilles » pendantes sont très reconnaissables ; lorsque le fruit tombe, la radicule se plante dans la vase comme une fléchette.

CONOCARPUS ERECTA L.
(Combretacée).
Palétuvier rouge, Mangle rouge, Mangle gris, Olivier-bord-de-mer. *Mangle boton, Mangle colorado.*
Floraison : avril-juillet.
De taille variable, cet arbre a souvent un tronc tortueux, et une écorce très fissurée. Il est commun dans les zones émergées de la mangrove, mais aussi sur les plages basses.

LAGUNCULARIA RACEMOSA
Gaertn. f. *(Combretacée).*
Mangle blanc, Mangle gris, Palétuvier. *Mangle blanco, Mangle bobo.*
Floraison : janvier-juillet.
Les feuilles cartilagineuses de cet arbuste ont en général un pétiole rougeâtre qui porte deux petites glandes. Le fruit est aplati et côtelé.

AVICENNIA GERMINANS L.
(Verbenacée ou Avicenniacée, selon les auteurs).
Synonyme **Avicennia nitida Jacq**.
Mangle blanc, Mangle gris, Palétuvier gris, Bois de mèche. *Chifle de vaca, Mangle blanco, Mangle bobo.*
L'espèce voisine, *Avicennia Schauerana* Stapf & Leechman se distingue par une corolle entièrement glabre à l'intérieur.

MONTRICHARDIA ARBORESCENS Schott. *(Aracée).*

Malanga-gratter, Malanga-rivière, Malanga d'eau. *Yautia madera.*

Semblant montée sur pilotis, cette curieuse Aracée est très commune parmi les *Pterocarpus,* ainsi que dans beaucoup de lieux humides.

ACROSTICHUM AUREUM L.

Grande fougère dorée.

Cette belle fougère borde souvent la « Mangrove palustre » vers l'intérieur ; on la trouve aussi couramment en bordure des marais à basse altitude.

PTEROCARPUS OFFICINALIS Jacq. *(Papilionacée).*

Mangle-médaille, Mangle-Rivière.

Caractéristique de la « Mangrove palustre », ce grand arbre se distingue par ses contreforts tourmentés et ses fruits en forme de médaille.

CYDISTA AEQUINOCTIALIS Miers *(Bignoniacée).*

Liane à crabe, Liane-corde, Liane à panier. *Bejuco blanco, Liana de la sierra.*

Floraison : mars-septembre.

Cette liane puissante habille les grands *Pterocarpus,* et parfois les palétuviers de la Mangrove proprement dite.

RHYNCHOSPORA CORYMBOSA Hitchc. *(Cypéracée).*

Synonyme **Rhynchospora aurea** R. Br.

Paille-mare, Herbe-rasoir mâle, Herbe-couteau.

Cette belle Cypéracée est très commune dans tous les marécages littoraux, ainsi que dans les mares, en peuplement pur ou avec d'autres espèces de la même famille (des genres *Cyperus, Eleocharis, Fuirena, Cladium, Mariscus,* etc.).

NEPTUNIA PLENA Benth. *(Mimosacée).*

Pompon jaune, Pompon-mare.

Cette belle petite plante diffuse se trouve dans les endroits humides ou aquatiques à basse altitude ; elle pousse dans l'eau ou dans la boue.

NYMPHAEA AMPLA DC. *(Nymphaeacée).*

Follet, Nénuphar, Chapeau d'eau. *Water lily. Flor de agua. Yerba de hicotea.*

Assez commun dans les marais littoraux, et dans les mares à basse altitude, ce nénuphar a des fleurs blanches qui s'ouvrent le jour et se ferment la nuit. Le *Nymphaea amazonum* Mart. & Zucc. et le *N. Rudgeana* G.F.W. Meyer ont au contraire des fleurs nocturnes.

EICHHORNIA CRASSIPES Solms. *(Pontederiacée).*

Jacinthe d'eau, Glaïeul d'eau. *Water hyacinth. Flor de agua.*

Floraison : mars-juillet.

Cette très belle plante se développe très rapidement, et peut envahir des surfaces importantes. Les bases enflées de ses pétioles lui servent de flotteurs.

BACOPA MONNIERI (L.) Pennell. *(Scrophulariacée).*
Synonymes **Herpestis Monnieria** HBK., **Bramia Monnieri** Drake.
Véronique, Petite Véronique. *Yerba de culebra.*
Floraison : presque toute l'année.
Cette belle petite plante forme souvent de grands tapis sur les sols boueux qui bordent les marécages.

STRUMPFIA MARITIMA Jacq. *(Rubiacée).*
Romarin-bord-de-mer. *Lirio.*

ERNODEA LITTORALIS. *(Rubiacée).*
Liane sèche.
Le *Strumpfia maritima* (en haut), à petits fruits blancs et spongieux, et l'*Ernodea littoralis* (en bas), aux feuilles piquantes à l'extrémité, et aux fruits rouges, sont très caractéristiques des falaises et des rochers littoraux.

PECTIS HUMIFUSA Sw. *(Composée).*
Teigne-bord-de-mer. Chevalier-dix-heures.
Très appliquée contre le sol, cette petite herbe forme des touffes isolées, ou de grands tapis denses sur les rochers surchauffés par le soleil.

EUPATORIUM INTEGRIFOLIUM Bert. *(Composée).*
Violette-bord-de-mer, Fleurit-Noël bâtard.
Floraison : presque toute l'année.
Cet arbrisseau, par ses belles inflorescences bleu-mauve, parfois violacées, et par ses feuilles d'un vert vif, est l'un des principaux ornements du littoral calcaire.

la forêt sèche

BURSERA SIMARUBA Sarg.
(Burseracée).
Synonyme **Elaphrium Simaruba** Rose.
Gommier rouge, Gommier-barrière.
Almacigo.
Très reconnaissable à son tronc, dont l'écorce fine et rouge s'exfolie comme celle du Bouleau, cet arbre fait partie des associations naturelles de la forêt sèche, et parfois de la forêt mésophile. Il est souvent planté pour borner les champs ou les pâtures.

TABEBUIA PALLIDA (Lindl.) Miers.
(Bignoniacée).
Poirier, Poirier-pays. *Poui, Pink poui. Roble, Roble blanco.*
Commun surtout en zone sèche, mais souvent planté comme arbre d'alignement ailleurs, cet arbre donne des fleurs délicates, d'un blanc rosé, très vite fanées.

PSYCHOTRIA MICRODON (DC.) Urb.
(Rubiacée).
Café bâtard, Café marron.
L'odeur des innombrables fleurs blanches de cet arbuste parfume délicieusement beaucoup de halliers secs.

CANELLA WINTERANA Gaertn.
(Canellacée).
Bois-Cannelle. *Barbasco.*
Floraison : juin-septembre. Fruits mars-mai.
Les feuilles de cet arbre, froissées, dégagent une odeur pénétrante de cassis. Les petites fleurs rouge-sang donnent naissance à des baies vermillon ou presque noires. Cette espèce n'a rien à voir avec le Cannellier, qui est une Lauracée introduite.

ALBIZIA LEBBECK (L.) Benth.
(Mimosacée).
Bois noir, Vieille fille, Bavardage, langue à vieille femme, Tchatcha.
Tibet, Lebbek. Acacia amarilla.
Floraison : avril-mai et septembre-octobre.
Les nombreuses gousses papyracées de cet arbre émettent au moindre vent un bruit caractéristique. On recontre souvent des pieds isolés de cette espèce autour des habitations en zone sèche, surtout sur sol calcaire.

ZANTHOXYLUM SPINIFEX DC. *(Rutacée).*
Synonyme **Fagara spinifex Jacq**.
Millefeuille, Bois-chandelle, Bois à piano, Lépineux-petites feuilles.
Niagarato.
Floraison : mars-juin.
Très commun dans tous les bois secs, cet arbuste épineux aux petites feuilles odorantes produit de petites graines noires très luisantes.

CAPPARIS FLEXUOSA L.
(Capparidacée).
Vermicelle, Mabouge, Bois-couleuvre.
Burro, Palo de Burro.
Cet arbuste aux longues branches souvent scandentes produit de grandes fleurs aux longues et nombreuses étamines blanches, qui tombent très vite et jonchent le sol. On trouve cette espèce dans beaucoup de bois secs, sur sol calcaire, comme sur sol volcanique, et très souvent près du littoral.

PHYLLANTHUS EPIPHYLLANTHUS L.
(Euphorbiacée).
Patacho, Farine chaude,
Farine à zombi. *Lengua de vaca.*
Cet étonnant arbrisseau semble porter ses fleurs et ses fruits au bord de ses feuilles, qui sont en réalité des rameaux aplatis : il n'a pas de feuilles.

TOURNEFORTIA VOLUBILIS L.
(Boraginacée).
Petite chique, Liane noire, Liane caraïbe. *Nigua, Niguas, Mata de nigua.*
Floraison : surtout mars-juillet.
Les petits fruits de porcelaine blanche, tachés de noir ou de bleu-foncé, de cette liane ligneuse, sont une des curiosités de la plupart des bois secs.

STIGMAPHYLLON CORDIFOLIUM
Ndz. *(Malpighiacée).*
Liane à ravet, Aile à ravet.
Floraison : mars-septembre.
Cette liane aux petites feuilles coriaces et d'un vert foncé, ne se trouve guère que dans les bosquets littoraux, où ses fleurs mettent des taches de couleur vive.

PLUMBAGO SCANDENS L.
(Plumbaginacée).
Herbe de Madame Bihoret, Sinapisme, Collant, Moutarde-pays,
Herbe brûlante.
Les fruits de ce sous-arbrisseau plus ou moins lianescent, sont garnis de glandes visqueuses. Il est assez commun dans toutes les zones sèches, surtout sous-le-vent.

LONCHOCARPUS BENTHAMIANUS Pittier. *(Papilionacée).*
Savonnette.
Floraison : juin-octobre.
Cet arbre moyen se trouve dans les bois secs, surtout sur sol volcanique. Il produit de très belles grappes de fleurs mauves, et des gousses pointues très aplaties.

NECTANDRA ANTILLANA Meissn. *(Lauracée).*
Bois doux avocat, Laurier-gland, Laurier-grande feuille, Laurier-caca. *Shingle wood, White wood, Yellow sweetwood. Aguacatillo, Laurel bobo, Georojo, Laurel blanco, Laurel cambron.*
Ce bel arbre aux abondantes grappes de fleurs odorantes pousse surtout sur le littoral sous-le-vent, et jusqu'à une altitude d'environ 300 m.

ZIZYPHUS MAURITIANA Lam.
(Rhamnacée).
Synonyme **Zizyphus Jujuba** auct., non Mill.
Surette, Jujube. *Dunks.*
Cet arbuste parfois épineux donne des fruits assez parfumés. Mais attention, en consommer trop encombre vite l'estomac !

ACACIA MACRACANTHA H. & B. *(Mimosacée).*
Synonyme **Acacia macracanthoides** Bert.
C'est l'un des Acacias les plus communs dans les savanes littorales sèches. Ses gousses sont aplaties, tandis que celles de l'*Acacia tortuosa* Willd., voisin, sont grêles et subcylindriques ; l'*Acacia Farnesiana* Willd. a des fleurs odorantes, et de grosses gousses cylindriques.

HAEMATOXYLON CAMPECHIANUM L. *(Caesalpiniacée).*
Campèche, Bois de Campèche. *Campeche, Palo de Campeche.*
Floraison : janvier-mai.
Arbuste ou petit arbre très fréquent dans les halliers secs dégradés, surtout sur sol calcaire ; les nombreuses grappes de petites fleurs jaunes répandent un parfum acidulé très agréable.

LANTANA INVOLUCRATA L.
(Verbenacée).
Ti baume. *Santa Maria, Cariaquillo de Santa Maria.*
Floraison : surtout août-février.
Cet arbrisseau odorant, aux capitules d'un rose-pourpre, ou blancs, est caractéristique des zones sèches dégradées. Le *Lantana Camara* L., voisin, mais très variable, est au contraire assez ubiquiste. Le *Lantana reticulata* Pers. ne se distingue du *L. involucrata* que par ses feuilles aiguës, aux veinules plus régulières et parallèles.

OPUNTIA DILLENII Haw. *(Cactacée).*
Raquette à fleurs jaunes.
Assez rare, cette grande raquette donne de belles fleurs jaunes fugaces. L'*Opuntia Tuna* Mill., plus rare, a des fleurs rouges.

OPUNTIA TRIACANTHA Sweet. *(Cactacée).*
Raquette volante.
Cette petite raquette, dont les articles se détachent facilement, d'où le nom vernaculaire, se rencontre surtout dans les zones rocheuses sèches, et dans les savanes littorales arides. L'*Opuntia antillana* Britton & Rose, très voisine, a des articles nettement plus grands, et élargis vers l'extrémité.

TECOMA STANS Juss. *(Bignoniacée).*
Bois-pissenlit, Bois à enivrer, Fleurs jaunes. *Christmas hope. Roble amarillo, Ruibarba, Sauce amarillo.*
Floraison : surtout octobre-avril.
Les magnifiques fleurs jaunes de cet arbuste sont du plus bel effet parmi les rochers souvent sombres des côtes Sous-le-Vent.

HELIOTROPIUM TERNATUM Vahl *(Boraginacée).*
Synonymes **Heliotropium fruticosum** L., **Heliotropium humile** R. Br.
Verveine blanche-savane, Verveine-savane, Sarriette.
Floraison : toute l'année, sauf pendant les longues sécheresses.
Cet arbrisseau aux petites feuilles raides et grisâtres, souvent rapprochées par trois, est commun dans beaucoup de zones sèches, volcaniques ou calcaires. Son port et sa pubescence sont variables.

CALOTROPIS PROCERA R. Br. *(Asclépiadacée).*
Bois-la-soie, Coton-France, Bois-pétard, Bois-canon. *Mudar. Algodón de seda, Mata de seda.*
Floraison : presque toute l'année.
Originaire du Sahel, cet arbrisseau ou arbuste est naturalisé dans les zones les plus arides. Ses feuilles rappellent un peu par leur forme celles du Raisinier-bord-de-mer, mais elles sont grisâtres. La plante contient un latex blanc très abondant.

MELOCACTUS INTORTUS Urb. *(Cactacée).*
Synonyme **Cactus intortus** Mill.
Tête à l'Anglais.
Endémique des Petites Antilles, ce gros cactus globuleux, reconnaissable de loin, forme des colonies, sans doute climaciques, dans les zones les plus arides de certaines îles.

la forêt dense

PALICOUREA RIPARIA Benth.
(Rubiacée).
Bois-cabrit, Bois-colibri, Bois-puce. *Yellow palicourea, Yellow cedar. Cachimbo, Palo de Cachimbo.*
C'est une espèce extrêmement commune en forêt mésophile, ainsi qu'en forêt plus humide. Le *Palicourea crocea* R. & S., très voisin, a des fleurs rouges sur des branches d'inflorescence jaunes ou orangées.

BYRSONIMA CORIACEA (Sw.) DC. var. **SPICATA** (Cav.) Ndz. *(Malpighiacée).*
Synonyme **Byrsonima spicata** Cav.
Bois-tan, Mauricif. *Maricao.*
Floraison : (mars)-avril-mai-(août).
Au début de la saison des pluies, la forêt mésophile s'enflamme des millions de fleurs jaunes de cet arbre moyen.

INGA INGOIDES L. *(Mimosacée).*
Pois doux, Pois doux poilu, Pois sucrin, Pois doux gris. *Guaba del pais.*
Cet arbre est l'un des plus communs dans la zone mésophile, ainsi qu'au voisinage des habitations, même en altitude.

CASSIA ALATA L. *(Caesalpiniacée).*
Synonyme **Herpetica alata** Raf.
Dartrier, Herbe à dartres, Cassia alata.
Ringworm bush. Talantala, Talantro.
Ce magnifique arbrisseau, peut-ête indigène, mais devenu pantropical, existe surtout dans les endroits humides des zones mésophiles, ainsi que dans les marécages littoraux.

CECROPIA PELTATA L. *(Moracée).*
Bois-trompette, Bois-canon, Bois-canot.
Floraison : avril-janvier.
Les branches creuses de cet arbre à latex aqueux lui ont valu ses noms vernaculaires. Comme le *Miconia mirabilis,* il indique la dégradation de la forêt, le plus souvent sous l'action de l'homme. La base de son tronc émet souvent des racines-échasses.

DRACAENA FRAGRANS Ker Gawl. *(Liliacée, ou Agavacée,* selon les auteurs).
Synonyme **Aletris fragrans** L.
Sandragon. *White rayo.*
Floraison : octobre-janvier-février.
Cet arbuste très droit, au feuillage dense, a été introduit de Guinée il y a très longtemps. Il sert surtout à former des haies brise-vent dans les régions bananières. Ses grandes grappes pendantes formées d'innombrables petites fleurs blanchâtres répandent, surtout au crépuscule, un parfum entêtant.

PSIDIUM GUAJAVA L. *(Myrtacée).*
Goyavier, Goyave. *Guava. Guayaba, Guayava.*
Floraison : surtout avril-juillet. Fr. surtout septembre-novembre.
L'un des rares fruits sauvages est fourni par cet arbuste au bois très dur, qui se rencontre à l'état spontané surtout dans les savanes latéritiques mésophiles ; de nombreuses variétés sont cultivées dans les jardins.

HELICONIA BIHAI L. *(Strelitziacée).*
Balisier, Balisier jaune, Balisier rouge.
Pámpano, Plátano de Indio.
Très souvent confondu avec le suivant, ce Balisier s'en distingue très nettement par de nombreux caractères, mais absolument pas par les couleurs de l'inflorescence.

HELICONIA CARIBAEA Lam.
(Strelitziacée).
Balisier, Balisier jaune, Balisier rouge.
Pampano, Plátano de Indio.
Floraison : surtout février-avril.
Cette très belle espèce est l'un des principaux ornements de la forêt dense.

PRESTOEA MONTANA Nichols. *(Arecacée ou Palmier).*
Synonyme **Euterpe globosa** Gaertn.
Palmiste-montagne.
Ce palmier, assez fréquent dans les bois moyens et supérieurs, se nanifie dans les formations d'altitude : ses feuilles y deviennent courtes et très rigides, et sa taille peut se réduire à une cinquantaine de centimètres.

RENEALMIA PYRAMIDALIS (Lam.) Maas. *(Zingiberacée).*
Synonyme **Renealmia caribaea** Griseb.
Lavande blanche, Lavande-grand bois, Gingembre-grand bois. *Bihao, Narciso.*
Floraison : surtout janvier-mai.
Assez commun dans toute la forêt dense, mais surtout en altitude, cette grande herbe dresse ses grappes de fleurs blanchâtres dans la pénombre. Le *Renealmia antillarum* Gagnepain, très voisin, a des fleurs à calice rougeâtre ; le *Renealmia aromatica* Griseb. et le *R. exaltata* L.f. ont des inflorescences basales, et non terminales sur les tiges feuillées.

ANIBA BRACTEATA (Nees) Mez. *(Lauracée).*
Bois-jaune, Bois-la-colique. *Canelillo.*
Floraison : mai-juin.
Ce grand arbre est l'une des Lauracées les plus fréquentes de la forêt dense. Comme souvent dans cette famille, ses fruits ressemblent à des olives, avec une cupule à la base.

LOBELIA CONGLOBATA Lam.
(Lobéliacée).
Fleur-boule-montagne.
Floraison : janvier-avril et septembre-octobre.
Cette herbe aux inflorescences magnifiques ne se rencontre qu'à la Martinique, où elle égaie de nombreux sous-bois.

LEIPHAIMOS APHYLLA Gilg.
(Gentianacée).
Synonyme **Voyria uniflora** Lam.
Muguet jaune, Muguet-grand-bois.
Cette curieuse petite herbe sans feuilles et sans chlorophylle vit en saprophyte sur l'humus peu décomposé, sur les souches mortes, et parfois en fausse épiphyte dans les fourches des branches ou les crevasses de l'écorce des troncs.

CRANICHIS MUSCOSA Sw.
(orchidacée).
Floraison : septembre-avril.
Cette petite orchidée terrestre est très commune dans les sous-bois humides et sombres.

RUBUS ROSAEFOLIUS J.E. Smith.
(Rosacée).
Framboise, Fraise. *Raspberry. Rosa blanca, Rosa de novia, Rosa minadora, Zarza.*
Floraison : surtout octobre-mai.
Les fruits, pourtant assez insipides, de cet arbrisseau épineux, sont très recherchés par les enfants.

BLAKEA PULVERULENTA Vahl.
(Melastomacée).
Goyavier-rose, Goyave-rose, Framboisier, Petit figuier blanc, Aralie-rose, Figue-aralie-rose.
Floraison : mars-juin-octobre.
Ce bel arbrisseau touffu et sarmenteux est épiphyte, ce qui est très rare dans sa famille. On ne le trouve qu'en forêt hygrophile. Au moment de la floraison, le sol est jonché de ses beaux pétales d'un rose tendre. La baie, à odeur de groseille, est comestible et contient de nombreuses petites graines.

PHILODENDRON OXYCARDIUM Schott. *(Aracée).*
Liane brûlante, Herbe à méchants, Siguine-liane, Siguine-grand-bois.
Cette espèce est un peu plus rare que la suivante, son aspect général est très différent. Le suc de la plante, corrosif, justifie les noms vernaculaires.

PHILODENDRON LINGULATUM C. Koch. *(Aracée).*
Siguine rouge, Siguine-grand-bois, Liane à hébichet. *Bejuco de calabaza, Calabazón cimarrón.*
C'est une des lianes grimpantes les plus communes en forêt ; elle forme un manchon souvent très dense autour de la plupart des troncs. Le pétiole des feuilles, long et ailé, est très caractéristique.

PHILODENDRON GIGANTEUM Schott. *(Aracée).*
Siguine blanche, Malanga bâtard, Chou caraïbe sauvage, Philodendron géant. *Yautia cimarrona.*
Possédant une tige courte et grosse, cette plante n'est pas une liane. Elle pousse souvent sur les branches des grands arbres, mais également sur les rochers humides. On la rencontre jusqu'au sommet des montagnes, et aussi sur les *Pterocarpus* du littoral.

ALLOPLECTUS CRISTATUS Mart. *(Gesneriacée).*
Synonyme **Crantzia cristata** Scop.
Crête à coq, Fuchsia des bois.
Floraison : presque toute l'année, par intermittence.
Cette admirable liane apporte ses couleurs vives à la forêt, qui en manque très souvent. On la rencontre surtout dans les bois supérieurs, grimpant autour des troncs.

HABENARIA MONORHIZA Rchb.f.
Floraison : septembre-avril.
Poussant surtout dans les lieux découverts de la zone de la forêt dense ; cette orchidée terrestre est la plus commune du genre *Habenaria.*

CESTRUM MEGALOPHYLLUM Dunal.
(Solanacée).
Jasmin-bois, Sureau bâtard.
Floraison : (septembre)-octobre-février-(mai).
Les nombreux bouquets inodores, d'un blanc verdâtre, de cet arbuste assez commun, éclairent les lieux les plus sombres de la forêt dense.

MARCGRAVIA UMBELLATA L.
(Marcgraviacée).
José, Bois-couilles.
Liane aux inflorescences pendantes étonnantes. Les bractées creuses retiennent de l'eau ; on dit que les oiseaux-mouches, en y venant boire, pollinisent les fleurs avec leur dos. Le *Marcgravia lineolata* Kr. & Urb. est assez difficile à distinguer de cette espèce. Chez *Marcgravia Trinitatis* Presl. et *M. rectiflora* Tr. & Pl., la fleur est dans le prolongement de son pédicelle.

BAUHINIA EXCISA (Griseb.) Hemsl. *(Caesalpiniacée).*
Synonyme **Schnella excisa** Griseb.
Floraison : avril-octobre.
Liane géante, cette espèce envoie sur de grandes longueurs ses tiges aplaties en ruban. Elle donne à profusion des fleurs blanches, qui brunissent en se fanant. On la rencontre dans toute la forêt, mais surtout dans les bois mésophiles. Le *Schnella splendens,* voisin, a des fleurs rouges.

ERYTHRODES PLANTAGINEA
Fawc. & Rendle.
Floraison : octobre-mai.

PSYCHOTRIA GUADALUPENSIS
Howard. *(Rubiacée).*
Graine rouge montagne, Graine à perdrix, Bois rouge à grives.
Cette petite espèce épiphyte (terrestre ou saxicole dans les formations d'altitude), très commune et très variable, a des feuilles cartilagineuses.

HILLIA PARASITICA Jacq. *(Rubiacée).*
Jasmin-bois.
Floraison : surtout juin-septembre.
Epiphyte, ou vivant sur les rochers et les souches pourrissantes, cet arbuste scandent produit d'étonnantes fleurs blanches, qui jaunissent avant de se faner, et dégagent un parfum délicat.

EPIDENDRUM MUTELIANUM Cogn. *(Orchidée).*

Floraison : janvier-mars.

Cette belle espèce, épiphyte ou saxicole, pousse dans les bois supérieurs ventés. Les fleurs exhalent un parfum extrêmement suave, qui tient à la fois du lilas et du muguet. L'*Epidendrum patens* Sw., très voisin, se rencontre surtout dans les « savanes » d'altitude ; ses fleurs sont blanches, mais la colonne et le labelle sont tachés de violet.

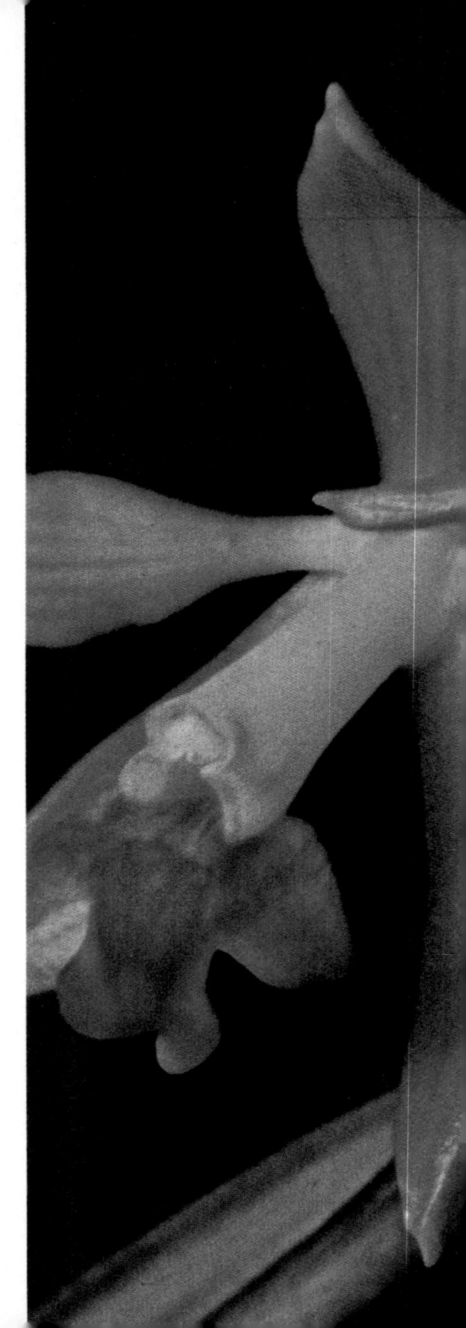

la végétation d'altitude

CEPHAELIS AXILLARIS Sw.
(Rubiacée).
Synonyme **Psychotria Aubletiana** Steyermark.
Ipéca bâtard, Bois-marguerite, Graine bleue des hauts.
Commune dans les formations d'altitude, et très reconnaissable à ses fruits bleus, cette espèce est voisine du *Cephaëlis Swaztzii* DC. de la forêt dense.

GAULTHERIA SWARTZII R.A. Howard
(Ericacée).
Synonymes **G. Sphagnicola** A. Rich. Kunth, **G. cordifolia** Räusch.
Myrtille, Myrtille des hauts.
Minuscule arbrisseau, la Myrtille applique contre les Mousses ou les Sphaignes ses petites feuilles coriaces, grises et dentées, et ses petites fleurs rouges en clochette ; son fruit est comestible. C'est une espèce confinée aux sommets volcaniques.

HIBISCUS TULIPIFLORUS Hook.
(Malvacée).
Gombo-grand-bois, Bois-flot des hauts.
Floraison : novembre-février.
Ce petit arbre peu élégant, mais aux étonnantes fleurs jaunes, se rencontre en forêt d'altitude dégradée, et s'aventure parfois dans les formations d'altitude proprement dites.

MANETTIA DOMINICENSIS Wernham
(Rubiacée).
Syn. : **Manettia Calycosa**. auct. mult.
Liane blanche, Liane-colibri-montagne.
Cette petite liane aux feuilles rigides et aux petites fleurs blanches barbues est fréquente en étage supérieur de la forêt et dans les « savanes » d'altitude.

SENECIO LUCIDUS DC. *(Composée).*
Herbe à pique d'or, Marguerite-grand-bois, Herbe à lapin.
Floraison : janvier-septembre.

LOBELIA FLAVESCENS E. Wimm. *(Lobéliacée).*
Synonyme **Lobelia stricta** Sw. p.p. **(nomen delendum)**.
Fleur-montagne.
Floraison : presque toute l'année, par intermittence.

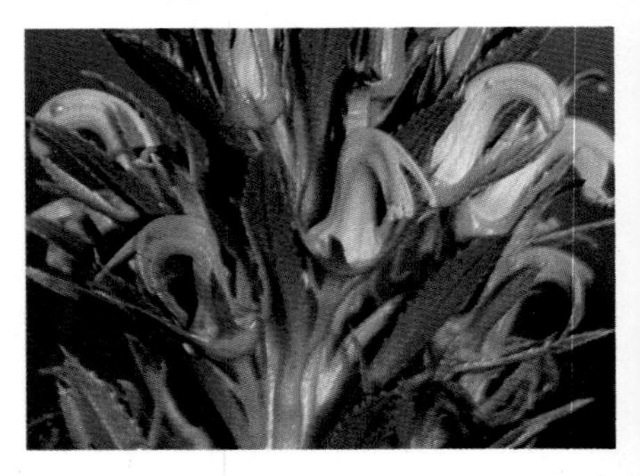

TIBOUCHINA ORNATA Baillon. *(Mélastomacée).*
Synonyme **Tibouchina strigosa** Cogn.
Thym-sauvage, Thym violet.
Cette très belle petite plante se trouve en pieds isolés ou en colonies denses dans les endroits bien éclairés. Le *Tibouchina Chamaecistus* Cogn., plus grand, a des poils raides couchés à la face inférieure, et non à la face supérieure des feuilles.

CALOLISIANTHUS FRIGIDUS Gilg. *(Gentianacée).*
Synonyme **Lisianthus frigidus** Sw.
Lis-montagne, Lis jaune des hauts, Gueule-de-loup-montagne.
Floraison : presque toute l'année.
Cette petite plante des cônes volcaniques se trouvent aussi, mais nettement plus grande, en forêt d'altitude.

CHARIANTHUS ALPINUS Howard. *(Mélastomacée).*
Synonyme **Charianthus coccineus** D. Don.
Fuchsia-montagne.
Floraison : février-juillet et octobre-novembre.
Ce magnifique arbuste est un des plus beaux ornements des formations d'altitude.

les plantes ubiquistes les plantes cultivées et ornementales (1)

CALADIUM BICOLOR Vent. *(Aracée).*
Chevalier rouge, Palette du peintre.
Wild eddo, Cabbage-cole, Wild lillies.
Paleta del pintor.
Cette belle espèce, assez variable, se trouve souvent dans les cultures et dans les endroits plus ou moins ombragés. On en cultive plusieurs variétés, que l'on peut d'ailleurs trouver moins belles que la forme sauvage !

VANDA TERES Lindl.* *(Orchidacée).*
Originaire de Burma, cette curieuse orchidée terrestre et grimpante, aux feuilles cylindriques, produit de très belles fleurs blanches, roses ou mauves.

CORDIA SEBESTANA L.*
(Boraginacée).
Bois-râpe, Sebestier, Mapou rouge.
Geranium tree.
Floraison : mars-novembre.
Ce petit arbre des Grandes Antilles est souvent planté sur les plages, dans les cimetières, et dans les jardins en zone sèche.

GRAPTOPHYLLUM PICTUM Griff*.
(Acanthacée).
Caricature. *Caricature-plant.*
Souvent cultivé en haie ou en bordure, cet arbuste de Nouvelle-Guinée a de curieuses feuilles rougeâtres ou vertes, sur lesquelles se détache un dessin irrégulier, blanc ou rose. Les fleurs sont d'un rouge vineux très particulier.

---

(1) Les espèces uniquement cultivées sont indiquées par un astérisque (*)

CLEOME SPINOSA Jacq.
(Capparidacée, ou Cleomacée selon les auteurs).
Grand mouzambé, Mouzambé à six feuilles.
Floraison : toute l'année ou presque.
Cette espèce se trouve dans toute la région inférieure des îles, surtout sur le bord des routes, dans les décombres et les friches.

MIMOSA PUDICA L. *(Mimosacée).*
Honteuse, Marie-honte, Ti Marie.
Sensitive-grass, Shame plant. Morivivi, Morir-Vivir, Sensitiva.
Couché, ou plus ou moins grimpant, cet arbrisseau épineux est des plus étonnants : au moindre frôlement, il ferme très rapidement ses feuilles, comme s'il faisait le mort ; il « ressuscite » en quelques minutes. Très fréquente dans des milieux très divers, cette espèce pantropicale est une mauvaise herbe des pâtures et des jardins.

PTEROLEPIS GLOMERATA Miq.
(Mélastomacée).
Herbe à vache mâle, Herbe sûre, Herbe à mouches.
Cette belle petite plante érigée est assez indifférente au milieu, bien qu'elle préfère les sols argileux assez humides.

AEGIPHILA MARTINICENSIS Jacq.
(Verbénacée).
Bois-cabrit, Bois de fer, Sureau gros.
Capaillo.
Floraison : surtout pendant la saison pluvieuse.
Espèce très variable et très ubiquiste. Les fruits charnus sont globuleux, jaunes ou rouges.

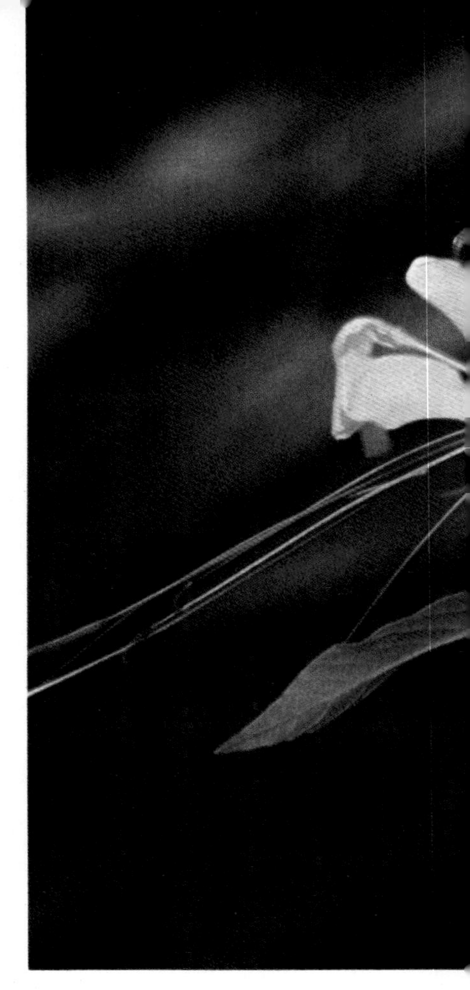

THUNBERGIA ALATA Boj.
(Acanthacée).
Fleur-jaune-savane. *Black-eyed Susan.*
Floraison : presque toute l'année.
Les fleurs orangées ou jaunes de cette liane grêle se rencontrent dans beaucoup d'endroits abandonnés, dans les haies, les lisières, et sur le bord des routes, surtout en zones mésophiles et hygrophiles. Il existe une forme à gorge blanche, plus rare que celle à gorge violet-foncé.

IPOMOEA TILIACEA Choisy.
(Convolvulacée).
Synonyme **Ipomoea fastigiata** Sweet.
Patate bâtard, Liane douce, Patate marron, Manger-lapin. *Bejuco de puerco.*
Floraison : presque toute l'année.
Les feuilles de cette liane lactescente, rampante et grimpante, sont très variables. L'espèce est très ubiquiste ; on la considère en général comme l'ancêtre de la Patate douce *(Ipomoea Batatas).*

IPOMEA SETIFERA Poir.
(Convolvulacée).
Synonyme **Ipomoea rubra** Millspaugh.
Manger-lapin, Patate marron. *Bejuco de puerco.*
Très voisine de la précédente, cette liane est également ubiquiste, mais préfère les sols latéritiques. On la reconnaît aux sépales un peu rugueux (« muriqués ») sur les côtes.

HIPPEASTRUM PUNICEUM (Lam.) Ktze. *(Amaryllidacée).*
Synonyme **Hippeastrum equestre** Herb.
Lis rouge, Fleur-trompette, Amaryllis. *Amaryllis, Barbados lily. Amapola, Tararaco, Azucena de Mexico.*
Floraison : mai-juillet.
Voisin de l'*Hippeastrum vittatum* bien connu des fleuristes, ce beau lis rouge se rencontre çà et là à l'état sauvage, mais surtout en zone pluvieuse sur sol latéritique.

BELOPERONE GUTTATA Brandegee*. *(Acanthacée).*
Queue d'écrevisse, serpent à sonnette. *Shrimp plant.*
Floraison : presque toute l'année.
Originaire du Mexique, cet arbrisseau donne de curieuses inflorescences portant des bractées rouge-brique, roses, ou jaunes.

EMILIA FOSBERGII Nicholson. *(Composée).*
Goutte de sang, Je-sème-à-tous-vents. *Red tassel flower, Cupid's paint brush, Red thistle. Huye que to cojo, Yerba socialista.*
Cette petite herbe est très commune, surtout en zones mésophiles et hygrophiles. On la trouve souvent dans les endroits habités et dans les cultures. L'espèce voisine, *Emilia sonchifolia* DC. se distingue par ses capitules plus petits et rose-mauve.

MALVAVISCUS ARBOREUS Cav.* *(Malvacée).*
Hibiscus-piment. *Sleeping hibiscus, Turkey's hat.*
Floraison : toute l'année.
Les fleurs de cet arbuste, que l'on prend souvent pour un *Hibiscus* (mais comparez les nombres de stigmates), ne s'ouvrent jamais complètement.

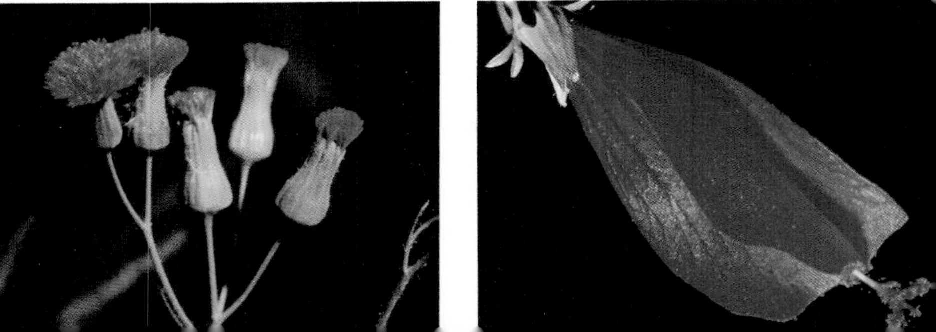

TRIMEZA MARTINICENSIS
(Jacq.) Herb. *(Iridacée).*
Jaune d'œuf, L'envers jaune, L'envers mâle, Lis jaune savane.
Floraison : presque toute l'année.
Très commun dans toutes les régions pluvieuses, ce beau petit Iris jaune se plaît surtout sur sol latéritique dégradé ou récemment décapé.

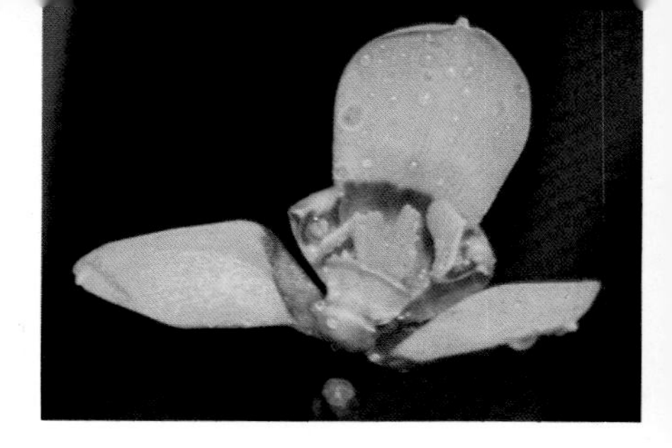

WEDELIA CALYCINA L.C. Rich.
(Composée).
Fleur-soleil, Marguerite jaune.
Cette espèce très variable et très ubiquiste a été divisée en un grand nombre de sous-espèces et de variétés sans grande valeur. On la trouve depuis le littoral aride jusque sur le bord des routes forestières.

CASSIA POLYPHYLLA Jacq.*
(Caesalpiniacée).
Synonyme **Cassia biflora** Bello, non L.
Petit Cassia jaune. *Hedondilla, Retama, Retama prieta.*
Originaire des Grandes Antilles et des îles Vierges, cet arbuste est cultivé pour ses abondantes fleurs jaunes, qu'il produit à profusion presque toute l'année ; il réussit mieux en zone sèche.

CASSIA JAVANICA L.*
(Caesalpiniacée).
Cassia rose. *Pink Cassia, Apple blossom Cassia, Pink showertree. Cassia rosada.*
Floraison : surtout avril-août.
Ressemblant vus de loin à des pommiers en fleurs, ces arbres d'Asie du Sud-Est, plantés dans beaucoup de jardins, constituent l'une des visions les plus « printanières » des Petites Antilles.

DATURA INNOXIA Mill.
(Solanacée).
Synonyme **Datura Metel** auct., non L.
Concombre à chien, Concombre-diable, Belladone. *Jimsonweed, Nightshade, Thornapple. Chami, Chamisco, Chamico, Toloache, Belladona del pastor.*
Floraison : mars-novembre.
Cette espèce est naturalisée dans la région inférieure, mais demeure assez rare. Ses tiges sont pubescentes et un peu collantes.

SOLANUM TORVUM Sw.
(Solanacée).
Synonyme **Solanum ficifolium** Ortega.
Bélangère bâtarde, Mélongène-diable. *Wild eggplant, Wild tomato, Bata belangene, Shoo-shoo bush, Turkey berry, Tall red trubba. Berenjena cimarrona, Tomatillón.*
Floraison : surtout mars-novembre.
Espèce très commune, épineuse ou non. Les fruits, semblables à de petites billes, sont d'abord d'un vert terne, puis jaunissent à maturité. Ils portent souvent une « anthracnose » rose, provoquée par un champignon, qui attaque aussi les Aubergines et les Poivrons.

CLIDEMIA HIRTA D. Don.
(Mélastomacée).
Herbe-côtelette, Z'osmanicou, Bonbon bleu. *Kosters curse. Bejuco de puerco.*
Floraison : toute l'année.
Cet arbrisseau hirsute est présent presque partout, mais surtout en zone mésophile, dans les endroits incultes.

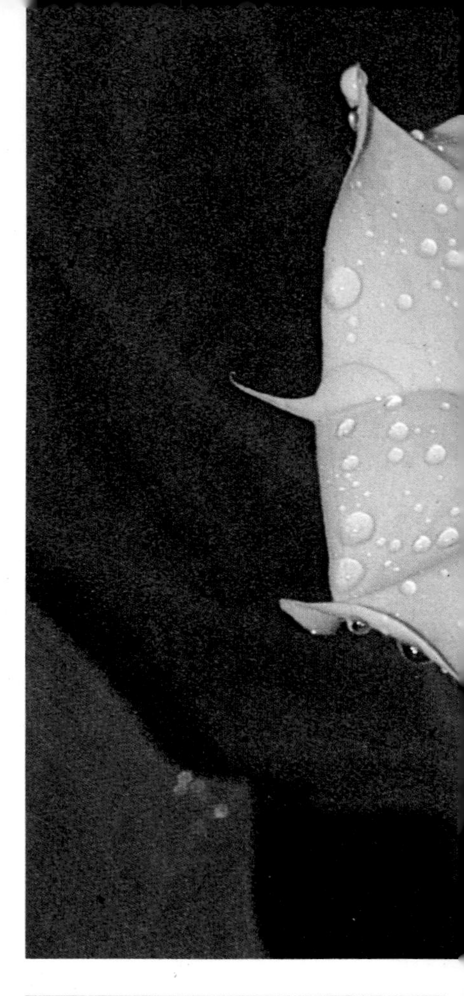

POINSETTIA CYATHOPHORA (Murr.) Kl. & Garcke. *(Euphorbiacée).*

Ti-lait, Malnommée. *Maravilla.*

Cette petite herbe lactescente aux tiges creuses, très variable, se rencontre surtout en zone sèche.

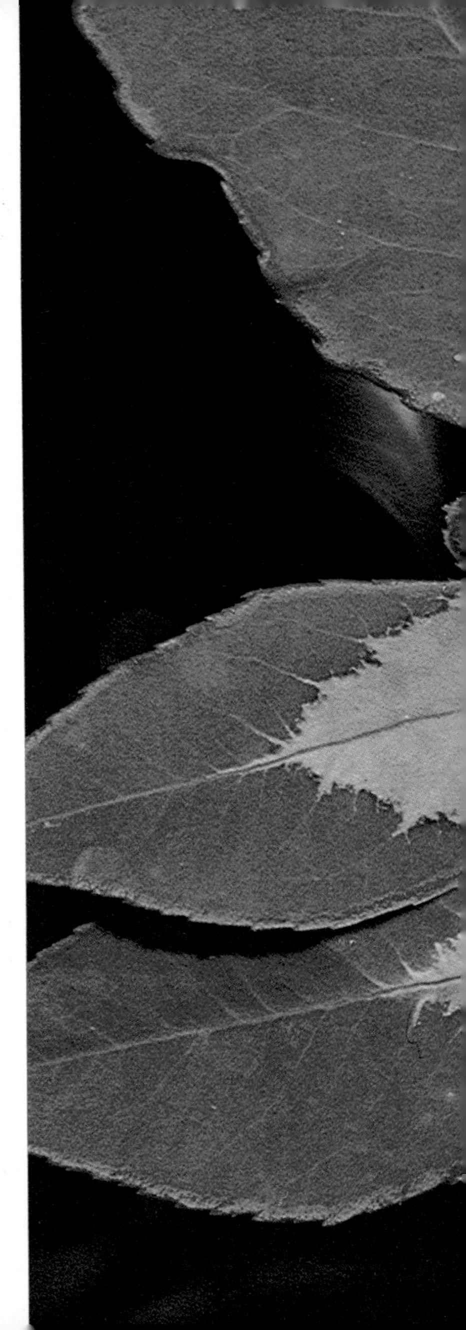

CANNA INDICA L. *(Cannacée).*
Balisier rouge, Petit balisier rouge. *Maraca cimarrona.*
Les belles fleurs rouges de cette grande herbe se rencontrent un peu partout, mais surtout sur sol frais ou humide. Le *Canna lutea Mill* et le *C. glauca* L., entre autres espèces du genre, bien que plus rares, ont une écologie comparable. Le Toloman *(Canna indica var. edulis)* est cultivé pour ses tubercules comestibles.

EUPHORBIA MILII Des Moul. var. **SPLENDENS** *(Euphorbiacée).**
Synonyme **Euphorbia splendens** Boj.
Goutte de sang.
Floraison : presque toute l'année.
Cette curieuse Euphorbe épineuse d'Afrique orientale est cultivée en pleine terre, mais surtout en pots.

EPIDENDRUM CILIARE L.
(Orchidacée).
Floraison presque toute l'année.
Les curieuses fleurs d'un blanc verdâtre de cette Orchidée épiphyte ou épilithe se rencontrent, mais assez rarement, dans des milieux très divers. Cette espèce est parfois cultivée par les amateurs.

BIDENS PILOSA L. *(Composée).*
Herbe-z'aiguilles. *Spanish needle, Beggartick, Railway daisy. Aceitillo, Té de campo, Moso, Cacho de cabra, Papunga, Cadillo, Amor seco.*
Herbe pantropicale, très commune dans tous les lieux incultes. Il existe une forme sans fleurs en ligule. Les fruits, ou akènes, portent en général deux arêtes rigides et barbues, qui s'accrochent à tout ce qui passe, et de préférence aux bas de pantalon !

MOMORDICA CHARANTIA L.
(Cucurbitacée).
Paroka, Pomme-coolie. *Cerasee vine, Karaila, Balsam pear, Carilla. Cundeamor, Archucha, Balsamina, Sibicoyen, Melón de Satán, Papayilla.*
Originaire d'Asie, cette liane grêle est devenue pantropicale. On la trouve dans beaucoup d'endroits humides ou secs. Les graines, d'un goût poivré, sont recouvertes d'une pulpe sucrée, rouge vif.

CHRYSOBALANUS ICACO L.
(Rosacée ou Chrysobalanacée).
Icaque, Z'icaque.
Cet arbuste se rencontre surtout dans les zones mésophiles dégradées, en association avec le Goyavier et le *Mimosa pigra,* mais on peut le trouver un peu partout, même dans les arrière-plages sableuses. Ses fruits, bien que très astringents, sont recherchés par les enfants.

ARTOCARPUS ALTILIS (Park.) Fosberg. *(Moracée).*
Synonyme **Artocarpus communis** Forst., **Artocarpus incisa** L.f.
Arbre à pain, Fruit à pain. *Breadfruit. Arbol de pan, Palo de pan, Mazapan, Arbapen, Panapen, Pana de pepitas.*
Il est inutile de présenter cette espèce si utile. Originaire des îles du Pacifique, l'Arbre à pain est de nos jours répandu dans presque tous les pays tropicaux.

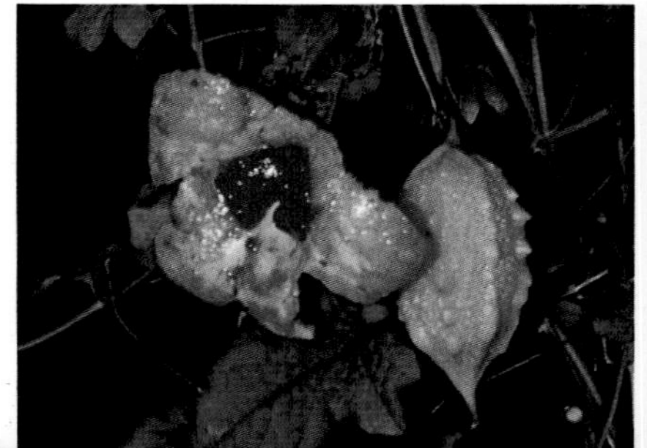

BORRERIA PARVIFLORA Meyer. *(Rubiacée).*

Herbe à Macornet. *Yerba de garro.*

Floraison : presque toute l'année.

Un des nombreux *Borreria* des Petites Antilles. C'est surtout une mauvaise herbe des cultures et des jardins.

STACHYTARPHETA JAMAICENSIS Vahl. *(Verbénacée).*

Verveine-queue-de-rat. *False vervain. Verbena, Bretónica.*

Cette plante de taille variable, aux longs épis droits ne portant que quelques fleurs épanouies, violacées ou d'un bleu soutenu (rarement blanches), est commune en beaucoup d'endroits. Le *Stachytarpheta cayennensis* Vahl est ligneux, et possède des épis souvent tordus, portant des fleurs bleu-clair nettement plus petites.

GLIRICIDIA SEPIUM Steud. *(Papilionacée).*

Gliricidia, « Glicéridia ».

Espèce américaine naturalisée, mais souvent plantée comme arbre de lisière, d'alignement, d'ombrage ou d'ornement. Les branches sont longues et flexibles.

SPATHOGLOTTIS PLICATA Bl.*

Originaire de Malaisie, cette orchidée terrestre aux feuilles plissées est souvent cultivée dans les endroits ombragés des jardins. Une espèce indigène, le *Bletia patula* Hook, lui ressemble beaucoup, et peut être cultivée dans les mêmes conditions.

EUCHARIS GRANDIFLORA Planch.*
(Amaryllidacée).
Synonyme **Eucharis amazonica** Lindl.
Lis de la Vierge, Lis de l'Annonciation.
Eucharis lily.
Originaire d'Amérique du Sud, cette belle plante à bulbe est très souvent cultivée dans les jardins, où elle se plaît surtout dans les endroits ombragés.

THUNBERGIA FRAGRANS Roxb.
(Acanthacée).
Floraison : presque toute l'année.
Malgré son nom, cette liane ne dégage aucune fragrance particulière. Son fruit sec possède un bec épais et aplati, et s'ouvre en deux à maturité.

EUPATORIUM ODORATUM L.
(Composée).
Fleurit-Noël, Guérit-tout, Langue à chat. *Langa chata, Santa Maria.*
Floraison : décembre-février.
Cet *Eupatorium* est l'un des plus communs dans presque toutes les conditions de milieu. Ses fleurs rappellent beaucoup celles de l'*Eupatorium integrifolium* des zones sèches littorales, mais ses feuilles sont plus grandes, dentées-lobées, et odorantes par écrasement. On les utilise en tisane contre la toux et les coliques.

SAUVAGESIA ERECTA L.
(Ochnacée).
Thé-savane, Thé-montagne, Herbe de Saint-Martin. Yerba de San Martin.
Floraison : toute l'année, surtout novembre-mars.
Cette petite herbe est commune presque partout, mais surtout sur sol latéritique humide. Elle est utilisée en infusion contre la toux et les maux d'estomac.

AGERATUM CONYZOIDES L.
(Composée).
Pain doux, Herbe à pisser, Herbe à femmes, Herbe aux sorciers. *Mentrasto, Yerba de cabrio.*
Floraison : presque toute l'année.
Mauvaise herbe très commune des cultures et des jardins, surtout sur sol latéritique.

COMMELINA DIFFUSA Burm. f.
(Commelinacée).
Synonyme **Commelina nudiflora** L. p.p.
Curage, Herbe grasse. *Watergrass, Pond-grass, Caner grass. Cojitre, Mangona, Siempreviva, Sara-sara, Orejita de raton, Suelda con suelda.*
Floraison : toute l'année.
Cette herbe voisine des « Misères » amoureusement cultivées en pot dans les appartements des pays tempérés, est ici une mauvaise herbe extrêmement commune dans les endroits frais et ombragés, où ses petites fleurs bleues sont du plus bel effet.

THUNBERGIA ERECTA T. And*.
(Acanthacée).
Synonyme **Meyenia erecta** Benth.
Gueule-de-loup.
Floraison : septembre et février-mars.
Cet arbuste africain est cultivé dans beaucoup de jardins. Ses grandes fleurs solitaires sans parfum sont bleu-violacé ou blanches, à gorge orangée ou jaunâtre.

CATHARANTHUS ROSEUS L.
(Apocynacée).
Synonymes **Vinca rosea** L., **Lochnera rosea** Rchb.
Caca-poule, Pervenche, Pervenche de Madagascar. *Old maid, Periwinkle, Goat rose. Flor de todo el año, Jasmin del mar.*
Ce sous-arbrisseau, sans doute américain, et non malgache, est devenu pantropical. Cultivé pour l'ornement aux Antilles, il s'est largement naturalisé en certains points du littoral sec. On cultive aussi une variété blanche, et une variété blanche dont le centre de la corolle est rouge-pourpre.

CENTROSEMA PUBESCENS Benth.
(Papilionacée).
Pois-razier, Pois sauvage, Pois-pois. *Itchweed, Cowitch, Cowitch wine. Flor de pito, Mucuma, Ojo de venado.*
Cette liane grêle très commune en beaucoup d'endroits envahit souvent les broussailles et les haies. Le *Centrosema virginianum* Benth., voisin, a des fleurs plus petites et bleues, et se trouve plutôt dans les zones sèches.

ASYSTASIA GANGETICA T. And.*
(Acanthacée).
Synonymes **Asystasia coromandeliana** Nees, **A. violacea** Dalz.
Originaire des Indes, cette herbe plus ou moins grimpante a des fleurs d'un blanc jaunâtre ou d'un mauve rosé. Elle est subspontanée en certains lieux secs.

IMPATIENS WALLERANA Hook.f.*
(Balsaminacée).
Impatience, Balsamine. *Garden balsam.*
Originaire des marais d'Afrique du sud-est, cette herbe glabre, aqueuse et cassante est souvent cultivée dans les jardins humides, où elle tend à se naturaliser.

MOGHANIA STROBILIFERA (L.) St.-Hil. *(Papilionacée).*
Synonyme **Flemingia strobilifera** R. Br.
Herbe-Madeleine, Herbe sèche, Goyavier bâtard.
Ce curieux arbrisseau, qui nous vient d'Asie du Sud-Est, est parfaitement naturalisé dans de nombreuses localités, surtout au bord des routes et au voisinage des habitations.

PHYLLANTHUS ACIDUS Skeels.
(Euphorbiacée).
Synonyme **Cicca disticha** L., **Cicca acida** Merr.
Surelle, Pomme-surelle. *Cereza, Cereza amarilla, Grosella, Grosella blanca.*
Floraison : janvier-avril.
Ce petit arbre aux feuilles distiques (disposées sur deux rangs, de part et d'autre de la tige), donne des fruits très acides, que l'on ne consomme guère qu'en confiture.

ALLAMANDA CATHARTICA L.*
(Apocynacée).
Allamanda, Liane à lait. *Yellow bell, Golden trumpet, Buttercup flower, Allamanda. Alamanda, Canarias.*
Floraison : presque toute l'année.
Cet arbuste d'Amérique du Sud est bien connu. Son latex est toxique.

POINSETTIA PULCHERRIMA Graham*. *(Euphorbiacée).*
Poinsettia, Six-mois.
Cet arbuste lactescent, aux tiges fragiles, produit pendant six mois de l'année (saison sèche) des inflorescences curieuses, entourées de grandes bractées rouges.

ASCLEPIAS CURASSAVICA L. *(Asclepiadacée).*
Quadrille, Petit ipéca, Herbe-papillon, Herbe à ouate, Herbe de Madame Boivin. *Butterfly weed, Algodoncillo, Platanillo. Blood flower, Red head.*
Floraison : toute l'année.
Cette petite herbe érigée, à latex blanc, forme de magnifiques ombelles de fleurs rouges et jaunes (blanches dans la forme *nivea*). Elle est employée comme dépurative, mais la plus grande prudence s'impose, car elle est vénéneuse.

CAESALPINIA PULCHERRIMA Sw.* *(Caesalpiniacée).*
Baraguette, Orgueil de Chine, Césalpinia, Poincillade. *Pride of Barbados, Dwarf poinciana, Flower fence. Carzazo, Clavellina, Flamboyan francès, Guacamaya.*
Floraison : presque toute l'année.
Originaire d'Amérique tropicale, ce très bel arbuste orne de très nombreux jardins. Ses fleurs sont rouges, orangées, jaunes ou rosées.

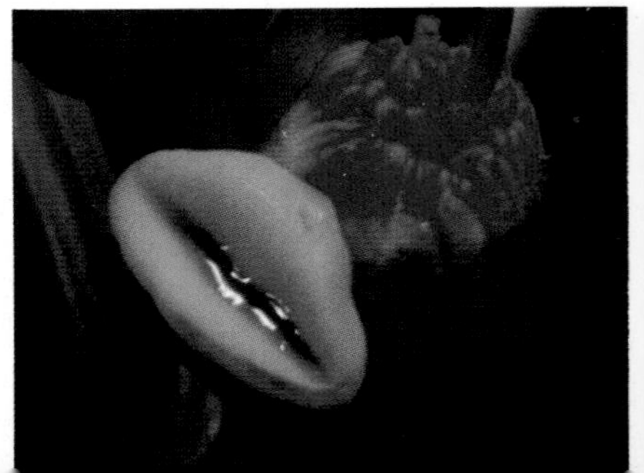

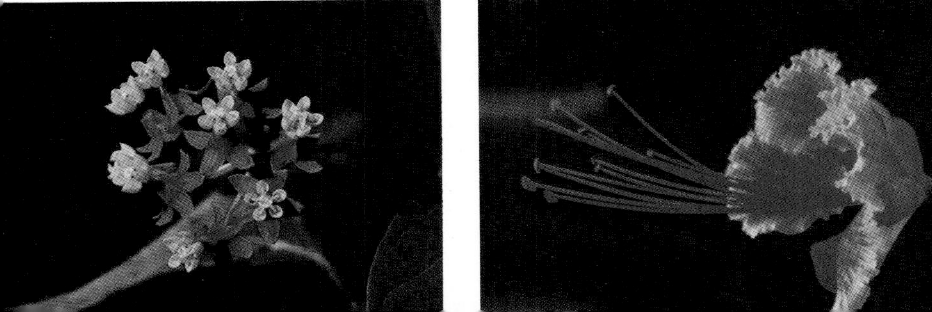

GUILLAINIA PURPURATA Vieillard.
(Zingiberacée).
Syn. *Alpinia purpurata* K. Schum.
Lavande rouge.
Très commune dans la plupart des jardins, cette plante d'Indonésie et des îles du Pacifique n'a été introduite aux Antilles que très récemment.

SENECIO CONFUSUS Britt.*
(Composée).
Marguerite à tonnelles.
Floraison : presque toute l'année.
Introduite assez récemment, cette liane aux belles fleurs rouge-brique est très utilisée pour couvrir les clôtures et les tonnelles. Elle montre une très nette tendance à se naturaliser en zone mésophile.

ARACHNANTHE « MAGGIE OEI »*
Scorpion.
Cette belle orchidée aux fleurs étonnantes, portées sur de très longs épis incurvés et étalés, est un hybride horticole d'*Arachnanthe flos-aëris* et d'*A. Hookeriana* var. *luteola,* créé à Singapour vers 1940.

NICOLAIA MAGNIFICA K.
Schum ex-valet.*
(Zingiberacée).
Rose de porcelaine.
Les curieuses inflorescences de cette grande herbe, originaire d'Indonésie et de Malaisie, naissent sur des tiges sans feuilles, assez courtes, à l'ombre des très hautes feuilles. Elles semblent artificielles. On peut ne pas aimer...

PODRANEA RICASOLIANA Sprague.*
(Bignoniacée).
Liane-orchidée.
Très souvent cultivée comme haie dans les jardins, cette liane d'Afrique du Sud ne produit pas de fruits ici.

HIBISCUS ROSA-SINENSIS L.*
(Malvacée).
Hibiscus.
Cet arbuste d'Asie tropicale est cultivé sous tous les tropiques, dans de nombreuses variétés ou formes ; les hybrides horticoles sont également très nombreux.

Index

A

B

C

D

E

F-G

H

I

L

M

N-O

P

R

S

T

V

W–Z